中华人民共和国国家标准

炼钢工程设计规范

Code for design of steelmaking engineering

GB 50439-2015

主编部门：中国冶金建设协会
批准部门：中华人民共和国住房和城乡建设部
施行日期：２０１５年１２月１日

中国计划出版社

2015 北 京

中华人民共和国国家标准

炼钢工程设计规范

GB 50439-2015

☆

中国计划出版社出版

网址：www.jhpress.com

地址：北京市西城区木樨地北里甲11号国宏大厦C座3层

邮政编码：100038　电话：(010) 63906433 (发行部)

新华书店北京发行所发行

北京市科星印刷有限责任公司印刷

850mm×1168mm　1/32　5.25印张　134千字

2015年11月第1版　2015年11月第1次印刷

☆

统一书号：1580242·760

定价：32.00元

版权所有　侵权必究

侵权举报电话：(010) 63906404

如有印装质量问题，请寄本社出版部调换

中华人民共和国住房和城乡建设部公告

第 800 号

住房城乡建设部关于发布国家标准《炼钢工程设计规范》的公告

现批准《炼钢工程设计规范》为国家标准,编号为 GB 50439—2015,自 2015 年 12 月 1 日起实施。其中,第 5.2.5、5.3.15、6.1.8、7.1.8、7.1.9、8.1.6、8.1.7、18.1.7 条为强制性条文,必须严格执行。原《炼钢工艺设计规范》GB 50439—2008 同时废止。

本规范由我部标准定额研究所组织中国计划出版社出版发行。

中华人民共和国住房和城乡建设部
2015 年 4 月 8 日

前 言

本规范是根据住房城乡建设部《关于印发〈2012年工程建设标准规范制订、修订计划〉的通知》(建标〔2012〕5号)的要求,由中冶京诚工程技术有限公司会同有关单位共同在原《炼钢工艺设计规范》GB 50439—2008的基础上修订完成的。

在修订过程中,编制组广泛调查和分析总结了原规范的执行情况,并结合近年来我国炼钢工程建设和生产方面积累的新经验和引进的新成果,借鉴国外先进工艺技术和设备的应用经验。在广泛征求意见的基础上,最后经审查定稿。

本规范共分为22章,主要技术内容包括:总则、术语、基本规定、铁水预处理、转炉炼钢、电炉炼钢、炉外精炼、炉渣处理、机修与检化验、电力、仪表、电信、自动化控制与信息化、给水排水、热力、采暖通风空调及除尘、燃气、建筑与结构、总图运输、安全与环保、节能、工程与技术经济等。

本规范正文中以黑体字标志的条文为强制性条文,必须严格执行。

本规范由住房城乡建设部负责管理和对强制性条文的解释,中冶京诚工程技术有限公司负责具体技术内容的解释。本规范在执行过程中,请各单位注意总结经验、积累资料,将有关意见反馈给中冶京诚工程技术有限公司(国家标准《炼钢工程设计规范》管理组,地址:北京市北京经济技术开发区建安街7号;邮政编码:100176),以供今后修订时参考。

本规范主编单位、参编单位、主要起草人和主要审查人:

主 编 单 位:中冶京诚工程技术有限公司
参 编 单 位:中冶赛迪集团有限公司

中冶南方工程技术有限公司
中冶华天工程技术有限公司
中冶东方工程技术有限公司
宝钢工程技术集团有限公司
鞍钢集团工程技术有限公司

主要起草人：郭光平　戈义彬　许有民　潘宏涛　王志红
　　　　　　陈奇志　王　勇　徐　蕾　李中金　任海霞
　　　　　　陈林权　冀中年　徐汉明　卢仲海　白聚会
　　　　　　毕　成　步小英　甄瑞卿　宋幸海　周婧荣
　　　　　　王　彦　董茂林　周　松　钱　伟　秦平果
　　　　　　陈学军　杜成业　郭　雷　李　晶　李　博
　　　　　　常　旭　张　莉　乐嘉龙　李洪森

主要审查人：郭启蛟　吴玉霞　苏天森　苏　艺　汤　毅
　　　　　　程继军　张家泉　王明生　李建民　张德国
　　　　　　李占国

目　　次

1 总　　则 …………………………………………………（ 1 ）
2 术　　语 …………………………………………………（ 2 ）
3 基本规定 …………………………………………………（ 4 ）
4 铁水预处理 ………………………………………………（ 5 ）
　4.1 工艺设计 ……………………………………………（ 5 ）
　4.2 粉剂 …………………………………………………（ 6 ）
　4.3 工艺设备 ……………………………………………（ 7 ）
　4.4 工艺布置 ……………………………………………（ 8 ）
5 转炉炼钢 …………………………………………………（ 9 ）
　5.1 总体工艺设计 ………………………………………（ 9 ）
　5.2 原材料准备及供应 …………………………………（ 11 ）
　5.3 工艺设备 ……………………………………………（ 13 ）
　5.4 车间布置 ……………………………………………（ 15 ）
6 电炉炼钢 …………………………………………………（ 18 ）
　6.1 工艺设计 ……………………………………………（ 18 ）
　6.2 原材料准备及供应 …………………………………（ 22 ）
　6.3 工艺设备 ……………………………………………（ 23 ）
　6.4 电炉车间布置与厂房 ………………………………（ 25 ）
7 炉外精炼 …………………………………………………（ 28 ）
　7.1 工艺设计 ……………………………………………（ 28 ）
　7.2 原材料准备及供应 …………………………………（ 30 ）
　7.3 工艺设备 ……………………………………………（ 30 ）
　7.4 工艺布置 ……………………………………………（ 32 ）
8 炉渣处理 …………………………………………………（ 34 ）

8.1 总体工艺设计	(34)
8.2 转炉渣	(34)
8.3 电炉渣	(34)
8.4 精炼渣和铸余渣	(35)
8.5 铁水预处理渣	(35)
8.6 不锈钢渣	(35)
8.7 工艺设备	(35)
8.8 工艺布置	(37)
9 机修与检化验	(38)
9.1 机修	(38)
9.2 检化验	(38)
10 电力	(40)
10.1 负荷分级及供电电源	(40)
10.2 供配电系统	(40)
10.3 无功补偿及电能质量	(41)
10.4 变(配)电所及电气室	(42)
10.5 供配电及传动设备	(42)
10.6 电气工程	(43)
11 仪表	(44)
11.1 仪表选型设计	(44)
11.2 检测控制项目	(46)
11.3 仪表动力源	(50)
11.4 仪表防护与安全	(50)
12 电信	(52)
13 自动化控制与信息化	(54)
13.1 一般规定	(54)
13.2 基础自动化	(54)
13.3 过程控制	(56)
13.4 信息化	(58)

14 给水排水	(60)
14.1 一般规定	(60)
14.2 炼钢工艺用水水质及用水条件	(60)
14.3 供水系统	(62)
14.4 水处理设施	(62)
14.5 安全供水	(63)
14.6 水质稳定	(63)
14.7 补充水	(63)
14.8 水质分析及监测	(64)
15 热力	(65)
15.1 一般规定	(65)
15.2 转炉余热锅炉系统	(65)
15.3 电炉余热锅炉系统	(66)
15.4 炉外精炼热力设施	(68)
15.5 蒸汽供应	(68)
15.6 压缩空气供应	(69)
16 采暖通风空调及除尘	(70)
16.1 一般规定	(70)
16.2 采暖	(70)
16.3 通风	(71)
16.4 空调	(71)
16.5 除尘	(71)
17 燃气	(74)
17.1 一般规定	(74)
17.2 转炉煤气净化回收系统	(74)
17.3 燃气介质阀站和管网	(76)
18 建筑与结构	(79)
18.1 一般规定	(79)
18.2 主厂房	(79)

18.3 设备基础 ……………………………………………（80）
  18.4 工艺平台 ……………………………………………（81）
  18.5 公辅设施建筑 ………………………………………（81）
19 总图运输 …………………………………………………（82）
  19.1 厂址选择 ……………………………………………（82）
  19.2 厂区平面布置 ………………………………………（82）
  19.3 运输 …………………………………………………（84）
  19.4 绿化 …………………………………………………（84）
20 安全与环保 ………………………………………………（85）
  20.1 安全 …………………………………………………（85）
  20.2 消防 …………………………………………………（85）
  20.3 环境保护与综合利用 ………………………………（86）
21 节　　能 …………………………………………………（87）
22 工程与技术经济 …………………………………………（89）
  22.1 工程经济 ……………………………………………（89）
  22.2 技术经济 ……………………………………………（91）
本规范用词说明 ………………………………………………（93）
引用标准名录 …………………………………………………（94）
附：条文说明 …………………………………………………（97）

Contents

1 General provisions (1)

2 Terms (2)

3 Basic provisions (4)

4 Hot metal pretreatment (5)

   4.1 Process design (5)

   4.2 Powder (6)

   4.3 Process equipment (7)

   4.4 Process layout (8)

5 Converter steelmaking (9)

   5.1 General process design (9)

   5.2 Material preparation and supply (11)

   5.3 Process equipment (13)

   5.4 Layout and building of converter steelmaking shop (15)

6 EAF steelmaking (18)

   6.1 Process design (18)

   6.2 Material preparation and supply (22)

   6.3 Process equipment (23)

   6.4 Layout and building of EAF steelmaking shop (25)

7 Secondary refining (28)

   7.1 Process design (28)

   7.2 Material preparation and supply (30)

   7.3 Process equipment (30)

   7.4 Process layout (32)

8 Slag treatment (34)

   8.1 General process design ··· (34)
   8.2 Converter slag ·· (34)
   8.3 EAF slag ·· (34)
   8.4 Slag from refining and residual scrap from casting ·········· (35)
   8.5 Slag from hot metal pretreatment ····························· (35)
   8.6 Stainless steel slag ··· (35)
   8.7 Process equipment ·· (35)
   8.8 Process layout ··· (37)
9 Mechanical repair and laboratory ······························· (38)
   9.1 Mechanical repair ·· (38)
   9.2 Laboratory ··· (38)
10 Electrical power ·· (40)
   10.1 Load classification and power supply ························· (40)
   10.2 Power supply and distribution system ······················· (40)
   10.3 Reactive power compensation and quality of power ········· (41)
   10.4 (Distribution) Substation and electrical room ················ (42)
   10.5 Power supply and distribution facility and electrical
        drive ·· (42)
   10.6 Power engineering ··· (43)
11 Instrumentation ·· (44)
   11.1 Selection and design of instrument ··························· (44)
   11.2 Measuring and control item ···································· (46)
   11.3 Power source of instrument ···································· (50)
   11.4 Instrument protection and safety & health ·················· (50)
12 Telecommunication ·· (52)
13 Automation control and information-based
     technology ··· (54)
   13.1 General provisions ··· (54)
   13.2 Basic automation ·· (54)

13.3 Process control (56)
13.4 Information-based technology (58)
14 Water supply and drainage (60)
14.1 General provisions (60)
14.2 Water quality and requirements for steelmaking process (60)
14.3 Water supply system (62)
14.4 Main water treatment facility (62)
14.5 Emergency water supply (63)
14.6 Water quality stabilization (63)
14.7 Makeup water (63)
14.8 Water quality analysis and monitoring (64)
15 Thermal power (65)
15.1 General provisions (65)
15.2 Waste heat boiler system for converter (65)
15.3 Waste heat boiler system for EAF (66)
15.4 Thermal power facility for secondary refining (68)
15.5 Steam supply (68)
15.6 Compressed air supply (69)
16 Heating, ventilation & air conditioning and dedusting (70)
16.1 General provisions (70)
16.2 Heating (70)
16.3 Ventilation (71)
16.4 Air conditioning (71)
16.5 Dedusting (71)
17 Fuel & gas (74)
17.1 General provisions (74)
17.2 Converter gas cleaning and recovery system (74)

17.3	Gas valve station and pipe work	(76)
18	Building and structure	(79)
18.1	General provisions	(79)
18.2	Main shop building	(79)
18.3	Equipment foundation	(80)
18.4	Process platform	(81)
18.5	Building for utility	(81)
19	General layout and material transportation	(82)
19.1	Selection of plant site	(82)
19.2	Layout of plant area	(82)
19.3	Transportation	(84)
19.4	Green	(84)
20	Safety and environment protection	(85)
20.1	Safety and health	(85)
20.2	Fire protection	(85)
20.3	Environment protection and comprehensive utilization	(86)
21	Energy conservation	(87)
22	Engineering pricing and project investment consulting	(89)
22.1	Engineering pricing	(89)
22.2	Project investment consulting	(91)
Explanation of wording in this code		(93)
List of quoted standards		(94)
Addition: explanation on provisions		(97)

1 总则

1.0.1 为使炼钢工程设计符合国家和行业现行技术政策各项标准的规定,提高工程设计质量,做到技术先进、经济合理、节能环保、安全可靠,制定本规范。

1.0.2 本规范适用于新建和改建的以转炉、电炉为主要冶炼设备的炼钢工程设计。

1.0.3 炼钢工程设计应贯彻执行国家钢铁产业发展政策,坚持清洁生产、循环经济的原则,提高环境保护和资源综合利用水平,节能降耗,并应在不断总结生产实践经验基础上,积极采用成熟可靠的新技术、新工艺、新材料和新设备,提升设计技术水平,降低工程造价和运行成本。

1.0.4 炼钢工程设计除应符合本规范外,尚应符合国家现行有关标准的规定。

2 术 语

2.0.1 Consteel 电炉　consteel electric arc furnace
一种往电炉连续加入经高温废气预热废钢的超高功率或高功率电炉。

2.0.2 VD　vacuum degassing
一种钢液真空脱气装置，它将带钢液的钢包置于与真空泵连通的密闭的真空罐内，从钢包底部通入氩气搅拌钢液，使钢液在真空状态下发生脱气反应。

2.0.3 VOD　vacuum oxygen decarburization
一种主要用来精炼不锈钢的真空吹氧脱碳精炼装置，它在VD的真空罐盖上增设顶枪，向真空罐内钢液面吹氧，在真空状态下对含铬钢液进行"脱碳保铬"精炼，也可以用来冶炼超低碳钢。

2.0.4 CAS　composition adjustment by sealed argon bubbling
一种在钢包内通过加金属铝或硅氧化放热来提高钢液温度，实现在钢包底吹氩气搅拌钢液条件下，在浸入罩内加合金调整钢液成分的装置。

2.0.5 CAS‐OB　composition adjustment by sealed argon bubbling with oxygen blowing
一种在钢包内通过氧枪吹氧并加金属铝或硅氧化放热来提高钢液温度，实现在钢包底吹氩气搅拌钢液条件下，在浸入罩内加合金调整钢液成分的装置。

2.0.6 RH　ruhrstahl-heraeus degasser
一种对钢液真空循环脱气的精炼方法，它利用真空室底部的两根环流管（浸渍管）插入钢包钢液内，通过上升管内充氩气作为提升气体,利用气泡泵原理使钢水不断从上升管流入真空室,再从下降管流回到钢包,形成循环流动,使钢水在真空室内实现深脱气处理。

2.0.7 RH－TB　　ruhrstahl-heraeus degassr-top blowing

在RH真空室顶部插入一根顶枪,通过向钢液表面吹氧脱碳或喷粉脱硫,用以精炼超低碳钢的方法。

2.0.8 钢包精炼炉(LF)　　ladle furnace

一种在常压下从钢包底部吹氩,并用电弧对钢液进行加热以精炼钢液和均匀钢液成分、温度的装置。

2.0.9 AOD　　argon oxygen decarburization

一种在转炉的钢液熔池侧面,按不同比例往钢液吹入氧气与氩气的脱碳精炼炉,主要用于冶炼不锈钢。

2.0.10 喂丝(WF)　　wire feeding or cored wire feeding

在常压下向钢包内钢水以一定速度喂入金属丝线或包芯线,对钢水进行精炼处理的装置和方法。

2.0.11 二步法　　two step process

不锈钢生产的一种基本工艺。主要指由电炉熔化铬、镍、废钢等固体原料,并使炉料完成粗脱碳,然后由AOD或VOD精炼炉进行"脱碳保铬"精炼,达到要求的成分。

2.0.12 三步法　　three step process

不锈钢生产的一种工艺。主要指由电炉或转炉熔化铬、镍、废钢等固体原料,其后由复吹转炉(或AOD炉)进行粗脱碳,再经VOD精炼炉深脱碳,可以生产包括超低碳品种的各种不锈钢。

3 基本规定

3.0.1 炼钢厂的设置应综合考虑原料资源、能源、水资源、交通运输、环境容量、市场分布和利用外部资源等条件。

3.0.2 选用电炉炼钢应具备可靠的废钢或直接还原铁等其他固态铁原料供应条件，以及充分的电力供应条件。

3.0.3 新建、改建炼钢车间应采用初炼炉—炉外精炼—连铸"三位一体"的基本工艺路线。

3.0.4 转炉炼钢车间设计应采用铁水预处理—顶底复吹转炉—炉外精炼—全连铸"四位一体"的基本工艺路线。

3.0.5 电炉炼钢车间设计应采用超高功率电炉—炉外精炼—全连铸的基本工艺路线。

3.0.6 新建转炉炼钢车间转炉与连铸机宜采用一对一配置。

3.0.7 不锈钢冶炼应根据具体条件采用"二步法"或"三步法"工艺。

3.0.8 新建、改建炼钢厂应设炉渣处理装置。

3.0.9 炼钢车间的安全环保设施应与主体工艺装备配套完善、同步建成。

3.0.10 炼钢车间内外部各工序环节应协调顺畅，并应保证所有原材料、钢水、炉渣等物料流向与路径互不干扰。

3.0.11 炼钢工程选址和总平面布置应符合国家现行标准《工业企业总平面设计规范》GB 50187、《钢铁企业总图运输设计规范》GB 50603、《建筑设计防火规范》GB 50016、《钢铁冶金企业设计防火规范》GB 50414、《炼钢安全规程》AQ 2001 的有关规定和国家现行有关黑色金属冶炼及压延加工业职业卫生防护技术规范。

4 铁水预处理

4.1 工 艺 设 计

4.1.1 铁水脱硫预处理宜采用喷吹法或机械搅拌法,经预脱硫处理后铁水的硫含量不应高于0.015%,对于生产超低硫钢种用的铁水,硫含量不应高于0.005%。

4.1.2 高炉铁水包、鱼雷罐、转炉铁水包均可作为铁水预脱硫的反应容器,宜选用转炉铁水包。铁水包内铁水面以上自由空间高度,当采用喷吹法时不应小于500mm,采用机械搅拌法时不应小于700mm。

4.1.3 铁水脱磷预处理应符合下列规定:

1 铁水磷含量高于0.12%,或生产含磷不大于0.005%的超低磷钢种时,应采用铁水包喷吹法、铁水包搅拌法、鱼雷罐喷吹法或转炉炉内预脱磷工艺。

2 铁水包喷吹法预脱磷时,应采用专用铁水包,铁水面上自由空间高度不应小于1500mm。处理后的铁水磷含量不应高于0.030%。

3 铁水包搅拌法预脱磷时,应采用专用铁水包,铁水面上自由空间高度不应小于700mm。处理后的铁水磷含量不应高于0.040%。

4 鱼雷罐喷吹法预脱磷时,铁水面上自由空间高度不应小于1000mm。处理后的铁水磷含量不应高于0.030%。

5 转炉炉内脱磷预处理后的铁水磷含量不应高于0.030%。对于超低磷钢种,预处理后铁水磷含量不应高于0.005%。

4.1.4 采用转炉炉内脱磷预处理时,加入转炉的废钢比不应大于10%,宜采用轻废钢。转炉采用氮气进行底吹搅拌,底吹强度不应小于$0.2Nm^3/(t·min)$,氮气压力不应小于1.6MPa,每个底吹支路应单独控制。脱磷转炉宜采用专用氧枪,供氧强度不应大于$2.5Nm^3/(t·min)$。

4.1.5 采用铁水包和鱼雷罐内脱磷预处理时,铁水应先进行脱硅预处理,铁水硅含量不应高于0.20%。

4.1.6 需要生产超低硫、超低磷钢种的转炉炼钢车间,宜采用铁水三脱(脱硅、脱磷、脱硫)预处理工艺。

4.1.7 喷吹法预处理宜采用氮气作为载流气体。氮气纯度不应低于99.9%,压力不应小于1.0MPa,供气流量应按输送气粉比和供粉强度要求确定。

4.1.8 铁水预处理站设计,除应设置处理装置本体的成套机械、液压、阀站、电气、仪表设备外,还应配置粉剂储运、介质供应、炉渣处理、烟气收集净化、喷枪(或搅拌器)制作存放与维修,以及有关安全防护等相关设施。

4.1.9 铁水预处理站应配置出渣装置。

4.2 粉 剂

4.2.1 预处理反应剂可采用下列粉剂:
 1 脱硫可采用石灰粉和萤石粉混合物,或钝化镁粉和石灰粉混合物,或电石粉和石灰粉混合物,或电石粉和萤石粉混合物,或钝化镁粉,或电石粉;
 2 脱磷与脱硅可采用石灰、萤石粉和氧化铁粉(氧化铁皮、矿石粉、烧结矿粉、炼钢炉尘)混合物。

4.2.2 采用喷吹法工艺的石灰粉应经过流态化处理。

4.2.3 脱硫剂不得采用严重污染环境的碳酸钠等钠系脱硫粉剂。

4.2.4 采用碳化钙、炭粉、镁粉作脱硫剂时,其贮存、运输与使用,应采取防火、防爆、防潮等安全措施。

4.2.5 脱硫剂在储存时应保持干燥;钝化镁粉应在惰性气体保护下存贮。

4.2.6 钝化镁粉采用专用袋运到生产现场时,可通过起重机将脱硫剂袋送至高位储料仓。其他脱硫剂采用专用槽车运输到车间内,通过氮气输送到粉剂料仓中,也可采用气力输送,将脱硫剂从制粉间直接通过管道输送到粉剂料仓中。

4.2.7 粉剂料仓顶部应设置仓顶除尘器。

4.3 工艺设备

4.3.1 铁水预处理站应包括铁水包运输与倾翻设备(采用捞渣工艺可不用倾翻设备)、除渣装置、渣罐(盘)及其运输设施、喷粉枪及其升降机械(或搅拌头及其旋转升降机械)、粉料储存与发送(或加入)系统和测温取样装置。

4.3.2 铁水包车应设置事故牵引装置。

4.3.3 铁水预处理站宜配置自动测温取样装置,探头插入深度应在铁水面以下300mm～500mm。

4.3.4 预处理装置气路系统的控制阀应为电开式或气开式,并应带阀位指示。

4.3.5 粉料贮存仓容积应满足24h以上用量,当采用气力输送进料方式时,贮存仓应按不小于2kPa工作压力设计,并应设置泄压装置。

4.3.6 石灰粉、碳化钙、碳、镁等粉剂贮仓应采用干燥的氮气保护。

4.3.7 喷吹法预处理装置应符合下列规定:

1 每个复合喷吹脱硫站,应配备2个喷吹罐和1根(或2根)带有耐火材料的喷粉枪。不同粉剂应采用独立的喷吹罐。

2 每个单吹粉剂脱硫站,应配备1个喷吹罐和1根带有耐火材料的喷粉枪。

3 喷吹罐容积应满足一炉以上用量,最大工作压力宜按1.0MPa设计。喷吹罐出口处的流态化部件宜采用可拆式结构。

4 喷吹法铁水预处理装置的粉料称量,系统误差应小于

±0.5%,料重应采用减量法显示,并应能显示喷粉速度,称量信号应与喷吹操作的自动控制联锁。

　　5 喷粉枪应设置备用枪。

4.3.8 机械搅拌法预处理装置应符合下列规定:

　　1 搅拌头的升降应采用双钢丝绳卷扬方式,并应配备钢丝绳调节、平衡机构及过载、防松检测器。搅拌头应设事故提升装置。

　　2 应设置搅拌头更换台车。搅拌头的旋转应采用变频调速,旋转速度应为15r/min～150r/min。

　　3 旋转主轴和搅拌头内部宜通气体冷却,表面应喷涂耐火浇注料。

　　4 脱硫剂加料管宜采用伸缩式。

4.4 工艺布置

4.4.1 铁水预处理站的工艺布置,应保证铁水包调运流程顺畅无干扰,并应减少铁水包的调运路程。

4.4.2 采用鱼雷罐预处理时,应设置单独的铁水预处理站、扒渣间与倒渣间。

4.4.3 采用铁水包预处理时,铁水预处理站宜设在主厂房加料跨,也可设在与加料跨厂房毗连的偏跨内。

4.4.4 铁水预处理站的工艺布置可选用下列方式:

　　1 喷吹(或搅拌)处理与扒渣同工位布置;

　　2 喷吹(或搅拌)处理与扒渣不同工位布置,1个处理工位与2个扒渣工位,2台铁水包车与2个除渣机依次轮流作业。

4.4.5 铁水预处理装置宜采用高架式布置,主工作平台的均布负荷宜为$10kN/m^2$。

5 转炉炼钢

5.1 总体工艺设计

5.1.1 转炉炼钢车间设计应根据产品大纲,确定转炉公称容量、转炉座数和炉外精炼的配置。

5.1.2 转炉炼钢车间内转炉座数宜配置2座或3座,不宜大于4座,不应设置备用炉座。多于3座转炉的车间,转炉宜分组分开布置。

5.1.3 转炉的公称容量应为炉役期的平均出钢量,最大出钢量应为公称容量的1.05倍~1.10倍,转炉生产宜采用分阶段定量法操作。

5.1.4 转炉吹炼炉座的年生产能力应按下列公式计算:

$$Q = 1440G \cdot N/T \quad (5.1.4-1)$$

$$N = 365 - n_1 - n_2 - n_3 - n_4 \quad (5.1.4-2)$$

式中:Q——每一吹炼炉座年产合格钢水量(t/a);

G——转炉炉役期内每炉平均出钢量(t/炉);

T——每炉钢平均冶炼周期(min/炉);

N——转炉的年有效作业天数(d/a);

n_1——年修炉天数(d/a);

n_2——年日常计划检修天数(d/a);

n_3——年车间集中检修天数(d/a);

n_4——年生产耽误天数(d/a)。

5.1.5 转炉炼钢车间的组成宜符合下列规定:

 1 主要生产系统宜包括主厂房、铁水预处理站、废钢配料间、炉渣间、烟气净化及煤气回收设施、余热蒸汽回收设施;

 2 辅助生产系统宜包括铁合金贮运设施、散状原料贮运设施、快速分析室、空压站、车间变配电所、水处理设施、除尘设施、生活福利设施；

3 设计可根据生产规模、原材料供应情况等具体条件确定车间实际组成。

5.1.6 铁水中含有可利用的铌、钒、钛等合金元素时，应采用合理的冶炼工艺予以回收。

5.1.7 新建转炉的冶炼控制，宜采用以副枪检测系统和（或）炉气成分连续分析系统作为实时信号反馈的动态闭环过程控制。

5.1.8 转炉的各种工艺过程和能源介质的工作参数，均应配置检测仪表，所有被检测参数应输入到基础自动化控制系统。冶炼试样应采用快速分析系统，数据应传输到过程控制计算机系统。

5.1.9 转炉炼钢使用的气体介质、燃料、冷却水及其管道，应符合下列规定：

1 氧气、氩气、氮气、蒸汽、压缩空气和燃料的供应能力应按设计规定的工作制度配备，并应按吨钢耗量和转炉车间的小时生产率计算；

2 贮气罐容积应满足车间高峰用量，同时能适应用量的波动和当供应源因事故停供时，贮气罐的贮备量至少应能满足一炉钢冶炼的需要；

3 车间分期建设时，各种介质的主管道宜按最终规模一次建成，而相关公用设施可视具体条件，或在总图上预留发展面积，也可在厂房内预留增建机组的条件。

5.1.10 新建转炉炼钢车间主要技术经济指标宜按表 5.1.10 确定。

表 5.1.10 新建转炉炼钢车间主要技术经济指标

序号	项目	单位	指标
1	平均出钢量	t	与公称容量相等
2	每炉钢平均冶炼周期	min	32～40

续表 5.1.10

序号	项目	单位	指标
3	转炉年有效工作天数	d/a	280～330
4	钢铁料	kg/t	1060～1080
5	铁合金	kg/t	10～30
6	活性石灰	kg/t	30～50
7	白云石	kg/t	15～25
8	炉衬耐材	kg/t	0.2～0.5
9	氧气	Nm^3/t	48～55
10	氮气	Nm^3/t	15～40
11	氩气	Nm^3/t	0.4～0.8
12	压缩空气	Nm^3/t	10～20
13	车间电耗(不包括除尘与水处理)	(kW·h)/t	15～30
14	循环水	m^3/t	10～15
15	新水	m^3/t	0.4～0.75
16	转炉煤气回收量	Nm^3/t	100～120
17	蒸汽回收量	kg/t	60～100

注：1 消耗指标均为每吨合格钢水消耗；
2 铁合金消耗量按生产普碳、低合金钢种考虑；
3 活性石灰消耗量按经过铁水脱硫预处理考虑；
4 氧气消耗量包括车间零星用氧；
5 炉衬消耗量按溅渣护炉考虑，炉龄约5000炉～15000炉；
6 转炉煤气热值取 $6.69×10^6 J/Nm^3$；
7 以上数据系按常规转炉冶炼模式考虑。

5.2 原材料准备及供应

5.2.1 新建转炉炼钢车间宜采用一包到底的铁水供应方式，也可采用混铁车供应铁水。

5.2.2 兑入转炉的铁水温度应高于1250℃。

5.2.3 散状料储运应符合下列规定：

    1 散状料储运应包括辅原料储运设施和铁合金储运设施。

    2 转炉冶炼造渣用散状料，粒度应为 5mm～50mm，成分应符合国家现行标准的有关规定。石灰应采用本厂或临近区域生产的新鲜的冶金用活性石灰。

    3 冶炼用的铁合金，应外购粒度为 5mm～50mm 的合格料，成分应符合国家现行有关标准的规定。

    4 转炉公称容量大于或等于 120t 时，散状料辅原料系统地下料仓的数量宜与转炉高位料仓的数量相等。散状料铁合金系统地下料仓的数量尽量与转炉中位料仓的数量匹配。散状料活性石灰的贮料量应满足 8h 以上用量，其他物料的贮料量不应小于 12h 用量。

    5 散状料上料系统宜采用带式输送机运输系统，并应在物料转运点设置机械除尘装置。

    6 转炉高位料仓以下工艺设备组成的加料系统应采取全封闭措施，并应在系统中设置抑制一氧化碳气体溢出的氮气保护装置。

    7 转炉中位料仓以下工艺设备组成的加料系统应采取全封闭措施，并应在物料转运点设置机械除尘装置。

    8 铁合金在贮运过程中应防止混料、淋雨或沾水。

    9 炼钢车间不应设铁合金破碎加工设施。

    10 炼钢车间根据需要可设置合金烘烤干燥设施。

    11 炼钢车间辅原料上料系统根据需要可设置石灰筛分设施。

    12 铁合金宜由本企业内部铁合金库贮存和供给。

5.2.4 转炉装料废钢应符合下列规定：

    1 转炉装料废钢比，可根据转炉容量大小在 10%～20% 选用。废钢的硫、磷总量应小于 0.1%，夹渣应小于 10%。

    2 转炉装料前，废钢应进行挑拣分类和必要加工处理，并应分类堆存。

3 单块废钢尺寸和重量应符合现行国家标准《废钢铁》GB 4223 的有关规定。

5.2.5 转炉装料废钢严禁混入爆炸物或封闭容器。

5.2.6 废钢加料料槽应按废钢堆密度 $0.7t/m^3$～$1.0t/m^3$ 和一槽装炉的原则设计。

5.2.7 新建转炉炼钢车间,宜设置单独的废钢配料间分类堆存废钢,并应按要求进行废钢配料装槽作业。废钢配料间应能满足 2d～10d 的废钢用量。

5.2.8 转炉冶炼用的铁合金,应外购粒度为 5mm～50mm 的合格料,炼钢车间不应设破碎加工设施,根据钢种要求,可以设置在线或离线烘烤干燥设施,铁合金的成分应符合国家现行有关标准的规定。铁合金宜由铁合金库贮存和供给。铁合金在贮运过程中应防止混料、淋雨或沾水。

5.3 工 艺 设 备

5.3.1 转炉容量系列宜为 30t、50t、80t、100t、120t、150t、180t、200t、250t、300t、350t。新建转炉炼钢车间宜选用系列规定的容量,但不应小于 120t。

5.3.2 新砌转炉炉容比宜为 $0.9m^3/t$～$1.0m^3/t$。炉壳的高径比应在 1.30～1.60 之间。

5.3.3 转炉炉型应为对称炉帽,直筒形炉身,筒球型或锥球型炉底。新建转炉炉壳应采用整体炉壳。炉壳和托圈可分段运输,现场组焊,热处理后,对组装焊缝进行超声波探伤和磁粉探伤。120t 以上转炉的耳轴同轴度公差不应大于 ϕ1.5mm,120t 以下(含120t)转炉的耳轴同轴度公差不应大于 ϕ1mm。

5.3.4 容量小于 150t 的转炉,修炉宜为简易上修方式,容量不小于 150t 的转炉,修炉宜为修炉塔机械化上修方式。

5.3.5 转炉宜采用水冷炉口、水冷炉帽。炉底和耳轴应按复吹要求设计。转炉托圈宜采用水冷或风冷,托圈与炉壳之间的间隙宜为100mm～250mm,应根据托圈与炉体之间的连接形式、托圈相对于炉体的上下位置以及炉体冷却方式等条件确定。

5.3.6 炉壳与托圈的连接宜采用悬挂式下连接方式,也可采用上支撑连接方式。托圈耳轴支座可采用一端游动或摆动轴承座。

5.3.7 转炉应采用全悬挂式倾动机构,平衡机构宜选用扭力杆型。倾动宜采用交流变频技术,4台电机独立驱动,转速应为0.1r/min～1.5r/min。转炉炉体可连续转动±360°。能平稳倾动、准确停止在任意角度的位置上。当出现冻炉塌炉事故时,4台电动机同时工作,转炉可以慢速倾动。当1台电动机出现故障时,转炉以中等倾动速度倾动,可完成1天的生产。当2台电动机出现故障时,转炉以慢速倾动,可完成1炉钢的生产。

5.3.8 转炉倾动力矩的设计应满足正常操作最大合成力矩的要求。容量不大于200t的转炉应按全正力矩设计,发生断电或机械故障时应能靠自重回复零位。容量200t以上转炉宜采用正负力矩设计。

5.3.9 转炉应设置挡渣装置和出钢口衬砖更换设备,同时应配置机械化拆炉、补炉、修炉和溅渣护炉所需设施。

5.3.10 每座转炉应配置两根遥控快速更换的氧枪,以及相应的氧枪升降与横移装置。氧枪升降应采用双钢丝绳卷扬,速度应为2m/min～40m/min,可两级调速或无级调速。氧枪升降装置应配置钢丝绳张力测定、防坠装置及事故提升装置。枪位的特定停点应与转炉倾动、烟罩升降、氧气开闭、氧枪冷却水温度和流量联锁控制。

5.3.11 转炉应采用拉瓦尔型3孔～6孔水冷氧枪,氧气在枪体内的最大设计流速不应超过50m/s,喷孔出口马赫数应在1.8～2.1(脱磷转炉除外)。氧枪冷却水硬度不应超过178mg/L,悬浮物应小于50mg/L,冷却水出水温度不应超过50℃(夏季),进出水温差不应超过15℃。

5.3.12 转炉氧枪有锥度枪和直枪形式,根据冶炼钢种及吹氧管粘渣情况选择。

5.3.13 氧枪枪体氧弯管应采用奥氏体不锈钢材质。氧气流速在 50m/s～60m/s 时,枪体内管宜采用奥氏体不锈钢材质。

5.3.14 新建转炉应设置底吹系统,采用 N_2/Ar 切换,每块透气元件的供气管路单独控制,也可配备用于吹堵透气元件的压缩空气或氧气。供气系统阀门与检测元件应配备齐全。

5.3.15 **转炉炼钢车间内吊运铁水、钢水或液渣时,必须采用铸造级起重机。**

5.3.16 吊运钢水起重机的起重能力,应按转炉最大出钢量、钢包重量和炉渣重量确定。转炉兑铁水起重机的起重能力,应按转炉最大铁水装入量、铁水包重量和铁水带渣重量确定。

5.3.17 转炉一次除尘系统能力应根据最大脱碳速度 0.4%/min～0.5%/min,以及转炉装入最大铁水量计算。转炉二次烟尘应由带前后移动门的转炉周围密闭室(狗窝)收集,并应引往净化系统。

5.3.18 转炉炉下渣罐容量应能盛下 1 炉～2 炉炉渣,渣量应按 40kg/t～120kg/t 钢水确定。

5.3.19 钢包底吹搅拌介质宜采用氩气,设置 1 块～2 块透气砖,每块透气砖的供气管路宜单独控制。

5.3.20 转炉铁水包应设计导流嘴。

5.3.21 新建转炉车间的钢包车、铁水包车、回炉钢返回车和渣罐车等,宜采用交流变频调速,重载时最大速度不应大于 40m/min。

5.3.22 转炉旋转接头设计应安全可靠,新建转炉宜设置独立的供气旋转接头和供水旋转接头,对于少量汽水共用的旋转接头,应有事故状态(漏水、漏气)识别措施,不得水、气互混进入转炉。

5.3.23 钢包、铁水包烘烤宜采用蓄热式烘烤器。

5.4 车间布置

5.4.1 转炉应采用高架式布置。转炉主操作平台面标高,应按低于转炉耳轴标高的 1/2 炉口内直径再减去 150mm～300mm 设计。转炉耳轴标高应按炉体转动最大半径圆高出出钢钢包最高点 200mm～300mm 确定。转炉采用下修方式时,应校核炉底车、修炉车的进出条件,在采用转炉炉内铁水预脱磷处理时,还应适应接受半钢水的转炉兑铁水包的布置高度。

5.4.2 转炉所在处的厂房柱间距,除应能布置包括倾动机构在内的全部转炉设备外,还应满足两相邻转炉的操作条件,可按表 5.4.2 选用。

表 5.4.2 转炉所在处的厂房柱间距

转炉公称容量(t)	柱间距(m)
≤100	12～21
100～200	21～27
≥200	27～30

5.4.3 转炉炼钢车间主厂房宜采用多跨毗连的布置形式,应依次由加料跨、炉子跨、(精炼跨)和钢水接受跨组成。炉子跨应设在加料跨与钢水接受跨之间,当转炉数量大于 2 时,宜在转炉跨与钢水接受跨之间设置独立的精炼跨。浇注系统以后各跨的数量与参数,应根据连铸系统布置方案确定。

5.4.4 转炉炼钢车间主厂房各跨参数应符合下列规定:

1 加料跨:跨度宜为 21m～30m,应根据转炉容量大小和废钢区、铁水区的工艺布置确定。根据转炉兑铁水的关系确定起重机轨面标高,当轨面标高太高不便于废钢料槽配料作业时,废钢区可设置低轨起重机。

2 炉子跨:跨度宜为 12m～27m,应根据转炉容量大小和该跨内转炉散状料加料系统、修炉系统、烟气净化系统、汽化冷却烟道的汽包等设备的布置要求确定。该跨的高度应根据汽包、氧枪与副枪升降装置的高度要求确定。该跨间为多层平台结构时,应设置去各层平台的电梯与楼梯。

3 精炼跨:跨度应为21m～30m,应根据总体工艺布置情况确定。起重机轨面标高应按炉外精炼设备高度确定。

4 钢水接受跨:跨度应为21m～33m,应根据总体工艺布置情况确定。起重机轨面标高应按炉外精炼设备高度和连铸大包回转台的高度确定,并应保证钢包放入回转台后包括钢包加盖机构的最高点至起重机梁底防护结构下缘之间净空不小于0.5m。

5.4.5 转炉炼钢车间主厂房的工艺布置,应根据工艺流程按分区作业的原则确定,做到工艺顺行、物料流向和各工序作业互不干扰。

5.4.6 转炉炼钢车间主厂房每跨屋架上应配置适当数量的检修起重机用的起重设备。

5.4.7 转炉主工作平台设计均布负荷宜按$20kN/m^2$～$30kN/m^2$确定,拆炉机作业区域的负荷要求应根据设备资料确定。炉子跨内其余各层平台设计均布负荷宜按$5kN/m^2$～$8kN/m^2$确定,转炉炉口平台需堆砖区域均布负荷宜按$20kN/m^2$确定。地坪均布负荷宜按$20kN/m^2$～$50kN/m^2$确定。

6 电炉炼钢

6.1 工艺设计

6.1.1 新建超高功率电炉宜包含下列配套技术：
 1 偏心炉底出钢及留钢留渣操作技术；
 2 管式水冷炉壁和水冷炉盖；
 3 水冷铜钢复合或铝合金导电横臂；
 4 炉壁集束射流氧枪与喷碳枪；
 5 泡沫渣埋弧冶炼技术；
 6 电炉与钢包机械化加料系统；
 7 计算机自动控制技术；
 8 静止型动态无功补偿装置；
 9 机械化拆炉与修炉设施；
 10 电炉余热回收利用技术。
 注：1 第1款、第4款，不锈钢电炉应根据需要进行取舍；
 　　2 第8款，应根据电气计算的闪变值确定是否采用。

6.1.2 新建超高功率电炉除应符合本规范第6.1.1条的规定外，也可选用下列配套技术：
 1 炉门碳氧喷枪；
 2 氧燃烧嘴；
 3 自动测温取样装置；
 4 烟气成分分析装置；
 5 出钢口自动维修装置；
 6 炉口清渣装置；
 8 电炉内钢水称量装置。

6.1.3 电炉炼钢车间设计应符合下列规定：

1 新建电炉配置的变压器吨钢单位功率水平宜为 600 (kV·A)/t～1200(kV·A)/t,对带有废气预热废钢技术的电炉,或采用铁水热装工艺的电炉,可选用偏下限的单位功率水平;

2 电炉后步工序应配置钢包精炼炉,并应根据钢种质量要求,配置真空处理等其他炉外精炼设施;

3 冶金行业新建、改建电炉炼钢车间,宜采用全连铸。其他机械铸造行业宜根据需要确定铸钢方式。

6.1.4 电炉选型设计时应根据条件选用下列技术:

1 交流高阻抗或直流供电技术;

2 高温废气预热废钢技术;

3 废气中一氧化碳后燃烧技术与以化学能代替电能的各种节能技术;

4 铁水热装技术。

6.1.5 电炉的公称容量应为其平均出钢量,最大出钢量应为公称容量的 1.05 倍～1.20 倍,留钢量应根据不同的电炉形式为公称容量的 0～50%。在满足年产量的前提下,应减少车间内的炉座数,并应选择功率水平高、容量大的电炉。车间内电炉座数不宜超过 3 座。

6.1.6 每炉钢平均冶炼时间应根据电炉的类型、配置的变压器单位功率水平、原料条件等因素确定。电炉的年生产能力应按下列公式计算:

$$Q = 1440G \cdot N/T \tag{6.1.6-1}$$

$$N = 365 - n_1 - n_2 - n_3 - n_4 \tag{6.1.6-2}$$

式中:Q——每座电炉年产合格钢水量(t/a);

G——电炉炉役期内每炉平均出钢量(t/炉);

T——每炉钢平均冶炼时间(min/炉);

N——电炉的年有效作业天数(d/a);

n_1——年修炉天数(d/a);

n_2——年日常计划检修天数(d/a);

n_3——年车间集中检修天数(d/a);

n_4——年生产耽误天数(d/a)。

6.1.7 电炉炼钢车间的合理组成应根据生产规模、工艺流程、厂区条件、厂内外协作条件与原材料供应情况确定,可在下列一般组成中兼并取舍:

1 主要生产系统包括主厂房、废钢配料间、炉渣间、烟气冷却及净化设施;

2 辅助生产系统包括铁合金贮存设施、料仓间及皮带通廊(以直接还原铁为主要炉料时采用)、快速分析室、空压站、车间变配电所、水处理设施、生活福利设施;

3 氧气、氮气、氩气和燃料的供应设施,耐火材料仓库、备品备件库和杂品库,机修、电修和车辆修理设施,以及废钢堆场应由全厂统一安排。

6.1.8 对不采用电炉周围密闭罩的超高功率电炉,应采取操作室隔音与厂房隔音措施。

6.1.9 电炉炼钢的工序能耗应符合国家现行有关标准的规定。

6.1.10 电炉冶炼中产生的废渣、废钢、废电极、废砖和炉尘应回收利用。

6.1.11 电炉炼钢车间使用的气体介质、燃料、冷却水及其管道应符合下列规定:

1 氧气、氩气、氮气、蒸汽、压缩空气,以及燃料的供应能力应根据吨钢耗量和电炉的小时生产率计算,但管道能力应按车间最大瞬时流量确定;

2 贮气罐容积应满足车间高峰用量,同时适应用量的波动及供应源因事故停供时,贮气罐的贮备量应能满足至少一炉钢冶炼的需要;

3 冷却水参数应按用户要求的压力与流量确定;

4 应确保车间内各用户接点处的介质工作参数要求和质量要求;

5 电炉高温工作的工艺设备应设置不小于30min的事故安全供水能力;

6 在车间分期建设情况下,各种介质的主管道应按最终规模一次建成,而相关公用设施可根据具体条件,或在总图上预留发展面积,也可在厂房内预留增建机组的条件。

6.1.12 电炉主要技术经济指标宜按表6.1.12确定。

表6.1.12 电炉主要技术经济指标

序号	项目	单位	指标
1	平均出钢量	t	与公称容量相等
2	每炉钢平均冶炼时间	min	38～60(取决于电炉形式、原料条件、单位功率水平等条件)
3	电炉年有效工作天数	d/a	290～330
4	钢铁料	kg/t	1060～1080
5	铁合金	kg/t	10～60(不包括不锈钢与高合金钢)
6	石灰	kg/t	40～50
7	白云石	kg/t	5～10
8	炉衬耐材	kg/t	3.5～5.0(包括补炉料)
9	电极	kg/t	0.8～2.0(根据电耗与电炉形式)
10	冶炼电耗	(kW·h)/t	320～400(不包括精炼炉)
11	车间动力电耗(不包括水处理与除尘)	(kW·h)/t	15～30
12	氧气	Nm³/t	25～40
13	氮气(或氩气)	Nm³/t	0.3～0.7(熔池搅拌用)
14	压缩空气	m³/t	10～15
15	燃料	MJ/t	90～180
16	循环水	m³/t	10～20
14	新水	m³/t	0.5～1.0

注:1 消耗指标均为每吨合格钢水消耗;
  2 表中消耗指标按常规交流电炉以废钢为原料的条件考虑,其他类型的电炉或以其他炉料为主要原料的电炉,其消耗指标应另行确定;
  3 氧气消耗量包括车间零星用氧。

6.2 原材料准备及供应

6.2.1 入炉废钢的质量要求应符合现行国家标准《废钢铁》GB 4223 的有关规定。

6.2.2 废钢的堆密度不应小于 $0.7t/m^3$，轻、中、重废钢应合理搭配，单块废钢的尺寸和重量应符合现行国家标准《废钢铁》GB 4223 的有关规定。

6.2.3 对入厂废钢进行分拣，剔除有色金属、有机物、密闭容器、爆炸物等，应根据废钢来源和质量情况进行必要的加工处理。废钢堆场面积应满足 1 个月~2 个月废钢用量。

6.2.4 废钢配料间应为带盖厂房，其面积应满足 3d~10d 废钢用量储存的要求；废钢配料间应设置废钢称量设施，其区域内料格或料坑的布置，应满足对废钢种类和规格进行分类堆存的要求，废钢贮存与配料作业宜采用计算机管理。

6.2.5 以废钢为主要原料的电炉炼钢车间，每座超高功率电炉应设置两条废钢料篮车运输线，并应由配料间往主厂房炉子跨运送装炉废钢料。往电炉加料用的废钢料篮应具有适当的容积，每炉钢加料次数不应大于两次。

6.2.6 电炉炼钢采用直接还原铁作原料时，应符合现行行业标准《炼钢用直接还原铁》YB/T 4170 的有关规定。当直接还原铁用量大于 20% 时，应设置贮存料仓间，并应通过皮带或其他专用运输系统送往电炉炼钢车间加料跨的高位料仓，再通过机械化加料系统，从炉盖加入电炉，其连续加料速度应为 $15kg/(min \cdot MW)$~$35kg/(min \cdot MW)$。直接还原铁（球团）的料仓应设充氮保护系统。

6.2.7 电炉宜采用部分铁水或生铁为原料，其比例宜为 30%，不宜大于 60%，其成分应符合现行行业标准《炼钢用生铁》YB/T 5296 的有关规定。

6.2.8 不得为电炉铁水热装配建专用高炉。

6.2.9 铁水运输应满足现行行业标准《炼钢安全规程》AQ 2001 的有关规定。

6.2.10 电炉冶炼造渣用散状材料,粒度应为5mm～50mm,成分应符合国家现行标准的有关规定。石灰应采用本厂或临近区域生产的新鲜的冶金用活性石灰,成分应符合现行行业标准《冶金石灰》YB/T 042的有关规定。

6.2.11 电炉钢厂应外购合格铁合金料。铁合金的化学成分应符合国家现行有关标准的有关规定,粒度应为5mm～50mm。贮存中应严格分类保管,并应防止混料和沾水,运输过程中应防雨、防湿,电炉车间内不应设铁合金破碎设施。

6.2.12 以废钢为主要原料的电炉,在废钢堆场应配备放射性物质检测仪器。

6.2.13 以直接还原铁为主要原料的电炉,宜采用直接还原铁热装热送技术。

6.2.14 对需要大量喷碳粉和石灰粉的电炉,宜采用气力槽罐车运送粉剂。

6.3 工艺设备

6.3.1 电炉的容量系列应为:20t、30t、50t、60t、70t、90t、100t、120t、150t、180t、200t、220t、250t、300t、320t、350t。新建电炉炼钢车间宜选用系列规定的容量,且不应小于70t。

6.3.2 电炉容量与炉壳直径、变压器额定功率的配置关系宜符合表6.3.2的规定。

表6.3.2 电炉容量与炉壳直径、变压器额定功率的配置关系

电炉公称容量(t)	电炉炉壳直径(mm)	变压器额定容量(MV·A)
20	3600～4000	20～30
30	4200～4600	25～35
50	4800～5300	30～50

续表 6.3.2

电炉公称容量(t)	电炉炉壳直径(mm)	变压器额定容量(MV·A)
60	5200~5500	35~60
70	5600~5900	45~70
80	5800~6200	50~80
90	6100~6400	55~90
100	6300~6600	60~100
120	6500~6800	72~120
150	7000~7400	90~140
180	7600~7900	160~180
200	7900~8200	180~200
220	8200~8500	200~220
250	8500~8800	220~240
300	8800~9100	240~260
320	9100~9400	250~270
350	9500~9800	260~290

6.3.3 电炉宜采用全平台的结构形式,倾动平台下方应设置水平锁定装置。设计确定倾动中心线位置时,应保证倾动机械失灵时电炉能自动回复原始位置。

6.3.4 电炉宜采用管式水冷炉盖和可分式炉壳。上炉壳应由钢管或钢板制作的笼形骨架和内挂的管式水冷炉壁块构成。下炉壳应为钢板焊接的筒球状壳体,内部应衬砌(筑)耐火材料构成熔池。

6.3.5 除不锈钢电炉外,炼钢电炉应采用偏心炉底出钢方式。

6.3.6 电炉应采用全液压驱动方式。电炉往炉门出渣侧倾动角度和往出钢侧倾动角度应满足出渣、出钢的工艺要求,并应具有出钢至规定重量时,电炉能自动快速回倾至原始位置的能力。炉盖升降行程应为400mm~500mm,旋转角度应满足加料等工艺要求,电极与炉盖宜同步旋转,也可采用电极与炉盖分开旋转的方式。

6.3.7 电极升降的位置调节宜采用比例阀加电极调节器的方式。当电极以最大速度运行时,电极调节系统的响应时间不应大于100ms。导电电极臂与立柱之间应绝缘可靠。电极臂与短网的总长度在满足电极升降与旋转运动条件下应尽可能短,并应在任意空间位置上保持等腰或等边三角形布置,三相短网阻抗不平衡系数不应大于5%。

6.3.8 电炉液压系统宜采用水-乙二醇等非燃介质。液压系统应保证其工作的可靠性,当发生停电事故时,应仍能将电极提升一定高度,并应能倾炉出钢。

6.3.9 电炉宜配置炉壁集束射流氧枪和喷碳枪等吹氧、喷碳设施,其供氧与喷碳能力应满足冶炼强度与泡沫渣埋弧冶炼的要求。

6.3.10 电炉炉盖与钢包机械化加料系统的高位料仓数量不宜少于12个,容积应满足16h以上用量,活性石灰料仓应满足8h以上用量。加料系统可在电炉主控室与炉后出钢操作台上集中控制。

6.3.11 电炉密闭罩的内形尺寸应适应电炉前后倾动和炉盖旋开时的临界尺寸,移动加料门的开启度应满足炉壳吊换作业的要求,抽气口应设在出钢口上方。密闭罩内壁应敷设隔热吸音材料。

6.3.12 与电炉配套的铸造起重机的规格应根据电炉最大出钢量、钢包重量与炉渣量确定。

6.4 电炉车间布置与厂房

6.4.1 电炉炼钢车间的总体布置应符合下列规定:

1 电炉炼钢车间主厂房宜采用依次由炉子跨、加料跨、炉外精炼和(或)钢包转运跨多跨并列毗连的布置形式。炉子跨与加料跨也可采用与精炼以后各跨垂直布置的形式,也可采用电炉和炉外精炼同跨布置与连铸浇注跨并列毗连的布置形式。

2 炉容量小于50t的电炉车间,可不设加料跨,可在炉旁设简易加料设施。

6.4.2 电炉炼钢车间主厂房参数的确定应符合下列规定：

1 炉子跨：跨度宜为21m～30m，并应保证变压器室外墙面至对侧厂房柱之间的净空，能顺利通过废钢料篮与吊换的炉壳。起重机轨面标高应保证电炉更换电极的正常作业，带有密闭罩的电炉，起重机梁底防护结构下缘至梁下部分密闭罩最高点的净空不应小于0.5m。电炉所在处厂房柱间距宜为18m～36m，并应根据电炉容量及其外形尺寸确定。

2 加料跨：跨度宜为9m～18m，并应根据加料系统、炉外精炼系统的设备与建构筑物布置确定。其高度应按设备的立面布置情况确定，当采用起重机吊底开料罐进料方式时，轨面标高应按底开料罐跨越料仓顶面平台栏杆的安全高度确定。

3 炉外精炼和（或）钢包转运跨：跨度宜为21m～30m，并应根据总体工艺布置情况确定。起重机轨面标高应按炉外精炼设备高度和连铸大包回转台的高度确定，并应保证钢包座入回转台后包括钢包加盖机构的最高点至起重机梁底防护结构下缘之间净空不小于0.5m。

4 冶炼浇注跨（同跨布置）：跨度宜为21m～36m。起重机轨面标高应保证电炉更换电极的正常作业、变压器吊运和钢包吊入连铸大包回转台的高度要求。

6.4.3 电炉应采用高架布置方式，应采用炉下电动钢包车出钢。电炉炉门槛水平线至工作平台面的高度宜为500mm～700mm。确定工作平台标高及电炉周围平台开孔时，应校核出钢、出渣时电炉各种运动与相邻设备、建（构）筑物的动态关系。

6.4.4 车间内不宜设置不同容量的电炉。车间内装备1座以上相同容量的电炉时，电炉与变压器宜采用同侧布置的形式。

6.4.5 电炉车间各跨屋架上应配置起重机检修设施。

6.4.6 电炉工作平台宜采用钢梁混凝土平台，设计的均布负荷应为$20kN/m^2$～$25kN/m^2$，炉座上修炉时应为$30kN/m^2$。原料跨各层平台的均布负荷应为 $5kN/m^2 \sim 8kN/m^2$。

6.4.7 电炉和钢包炉变压器室墙在短网开孔及临近水冷电缆的电磁感应区范围内的介质配管、管夹及支架,应采取防电磁感应措施。

7 炉外精炼

7.1 工艺设计

7.1.1 炉外精炼装置的设计,应从优化炼钢—连铸总体生产工艺、满足产品品种质量要求出发,结合投资费用、生产成本、介质供应条件等因素,从下列炉外精炼工艺方式中选用一种或数种与初炼炉和连铸机组成完整的生产作业线:

1 钢包吹氩;
2 LF;
3 CAS/CAS-OB;
4 AOD;
5 VD;
6 VOD;
7 RH;
8 RH-TB;
9 WF。

7.1.2 炉外精炼时炼钢炉应采用无渣或少渣出钢技术,并应准确控制出钢量。初炼钢水的温度与成分均应符合炉外精炼的要求。

7.1.3 炉外精炼装置的公称容量应为其平均处理钢水量,并应与炼钢炉的公称容量一致,其实际处理量应能适应炼钢炉出钢量在合理范围内的波动。

7.1.4 炉外精炼的生产能力,除应按本身的精炼周期和作业率确定外,还应满足与炼钢炉和连铸的匹配关系。常用炉外精炼设备作业率宜符合下列要求:

1 LF、VD作业率宜为80%~90%;
2 VOD作业率宜为50%~90%;

  3 RH、RH-TB单真空室作业率宜为50%～60%,双真空室作业率宜为75%～80%。

7.1.5 VD、VOD、RH等真空精炼装置应配备监视真空罐(室)内钢液面的彩色工业电视。

7.1.6 蒸汽喷射真空泵冷凝器的冷却水进水温度不应高于35℃。

7.1.7 炉外精炼所需的氩气、氮气、氧气、压缩空气等介质,应保证其质量要求和接点处压力、流量的工作参数。介质的质量应符合下列规定:

  1 用于钢包钢水搅拌与复吹转炉终期熔池搅拌的氩气纯度不应低于99.99%。钢包搅拌用氩气除工作气流外,还应配置冲击气流,冲击气流的压力不应小于1.6MPa。

  2 用于代氩的氮气,其纯度不应低于99.9%。

  3 氧气纯度不应低于99.5%。

7.1.8 VD、VOD的真空罐以及各种精炼装置的钢包运输车轨道基础,必须采取漏钢事故的处理措施。钢包或钢包车升降式RH装置必须采取防止漏钢钢水浸入地下液压机械的措施。

7.1.9 VD、VOD以及RH精炼装置采用蒸汽喷射方式的真空泵水封池(或热水箱)必须采取防止内部气体外溢措施,真空泵与水封池的废气放散管应引至厂房屋顶以上2m。

7.1.10 真空吹氧脱碳精炼装置VOD、RH-TB应采用氮气稀释破坏真空,并应设有自动与大气压平衡的装置,其供氧系统的阀门与管道应采用不锈钢或铜质。VD等真空脱气装置宜采用大气破坏真空,其充气点应靠近真空罐,宜直接设在真空罐盖上。

7.1.11 钢包和RH真空室烘烤装置应采用高效的烘烤器,钢包预热烘烤温度不应低于1000℃,宜在初炼炉出钢线上设置在线钢包烘烤器;RH真空室使用前烘烤温度不应低于1200℃,宜采用在线或就近烘烤装置。

7.1.12 位于冬季冰点以下寒冷地区的真空精炼装置,其真空泵水封池（或热水箱）的回水泵、水环泵等应采取防冻措施。

7.1.13 RH真空精炼装置的真空合金料斗下料管处，应设氮气吹扫。

7.2 原材料准备及供应

7.2.1 炉外精炼用铁合金成分除应符合国家现行有关标准外，还应符合下列规定：

　　1 应采用高品位铁合金，特殊情况下应采用90%硅铁和金属锰；

　　2 精炼超低碳钢时，对最后调整成分用的铁合金应严格限制碳含量；

　　3 铁合金的粒度，非真空精炼应为5mm～50mm，真空精炼应为5mm～30mm；

　　4 铁合金在储存运输中应防止混料，并应防雨和防潮湿。

7.2.2 造渣用石灰应为新鲜的冶金活性石灰。用于非真空精炼的粒度应为5mm～50mm，用于真空精炼的粒度应为5mm～30mm。石灰成分应符合现行行业标准《冶金石灰》YB/T 042的有关规定。

7.3 工艺设备

7.3.1 精炼用钢包的内型，其钢水部分的直径与高度比应为0.9～1.1，钢液面以上的自由空间高度应根据不同精炼方法，按下列规定确定：

　　1 单独用于RH应为400mm～600mm；

　　2 单独用于LF应为500mm～600mm；

　　3 用于VD应为800mm～1000mm；

　　4 用于VOD应为1200mm以上。

7.3.2 LF精炼设计应符合下列规定：

　　1 配备的变压器单位功率应为150(kV·A)/t～200(kV·A)/t，

钢水加热速度应达到 4℃/min～5℃/min。

2 电极导电横臂应采用水冷铜钢复合（或铝合金）导电臂。电极中心圆直径宜小，二次侧短网长度宜短，三相导体应在任意横截面上为等腰或等边三角形布置，三相阻抗不平衡度应小于 5%。

3 电极的升降行程应满足最小处理钢水量的要求，最小处理钢水量宜为公称容量的 50%～80%。

4 包盖应采用管式全水冷钢包盖，钢包盖的结构形式及其与钢包口的配合关系，应能保持钢液面上良好的还原性气氛。

5 LF 应配置机械化加料系统，并应设置 6 个～20 个高位贮存料仓。料仓容积应保证 LF 炉工作大于 8h 所需的量。

7.3.3 RH 精炼设计应符合下列规定：

1 真空室的设计应根据精炼钢种与钢包尺寸确定真空室的主要参数。可采用多真空室小车移动方式，真空室可分别移动于处理工位与等待工位，依次轮换工作。根据布置的需要，也可采用热弯管移动方式。

2 RH 真空室应设在线快速升温装置，并应使处理前真空室内壁表面温度达到 1400℃以上。

3 RH 精炼钢包（车）升降宜采用液压机构，正常升降速度不应小于 2000mm/min，升降行程应满足处理最小钢水量的要求。

4 在高海拔地区建 RH，应根据当地大气压计算钢水提升高度，确定合理的真空室浸渍管长度。

5 公称容量不大于 200t 的 RH 真空室宜采用分体结构形式。

7.3.4 VD、VOD 的真空罐设计选型应符合下列规定：

1 VD、VOD 的真空罐直径应满足钢包吊放作业时进钩和退钩的要求，其高度除应按钢包高度确定外，还应满足容纳漏钢钢水缓存需要的空间，可在真空罐外设置事故漏钢坑；

2 真空罐罐体与罐盖之间的大法兰密封圈应设置遮护装置；

3 真空罐盖的升降可采用液压或电动方式，罐盖与罐体扣合

时,罐盖应处于自由搁放状态;

4 真空罐盖上的设备与管线应合理布置,VOD用氧枪应位于钢包的中心线上,真空料罐的下料管应靠近钢包底吹氩气透气塞位置,测温取样枪应位于钢液面较平静的区域,气封针孔摄像仪与观察孔的位置与角度应保证清晰地观察钢液面距钢包口的距离;

5 当炼钢炉冶炼时间较短时可采用双真空罐形式。

7.3.5 AOD设计应符合下列规定:

1 AOD炉容积比宜为$0.5m^3/t$~$0.7m^3/t$。其炉型与倾动机构的设计可按氧气转炉设计。

2 AOD炉宜采用活炉座,每一炉座应配备2个~3个炉壳。

3 AOD冶炼供氧强度不应小于$1.5Nm^3/(t·min)$,供氩强度不应小于$1Nm^3/(t·min)$。当要求AOD冶炼时间短于60min时,初始碳含量不应高于2.5%,并应设置顶吹氧枪。

4 AOD炉应配备散状料加料系统、除尘系统和专用的配气阀站。

7.3.6 真空精炼炉应配置蒸汽喷射真空泵或机械真空泵作为抽真空设备,也可将水环真空泵作为前置级与蒸汽喷射真空泵组合。

1 真空泵抽气能力应根据不同精炼装置的废气生成量与系统总容积确定,并应保证真空室的工作真空度达到66.7Pa,且从冷态大气压达到66.7Pa的时间不应大于6min。

2 采用机械真空泵的真空精炼装置,应设置烟气冷却和过滤系统。过滤系统灰尘宜进行回收利用。

3 设计应对真空系统所有设备的制造、安装、检漏、调试规定具体的技术要求。

7.3.7 RH、VOD、AOD的顶枪提升系统应设置事故提升装置。

7.4 工艺布置

7.4.1 炉外精炼装置在车间中的平面位置应满足与炼钢炉、连铸机的配合关系,并宜设在精炼和(或)钢包转运跨内的出钢线与连铸机大包回转台之间的区域内。

7.4.2 炉外精炼装置宜离线布置,可采用高架式或坑式。新建炼钢车间宜采用高架式布置。

7.4.3 真空精炼装置的真空泵与加料系统,宜布置于转炉车间的炉子跨或电炉车间的加料跨,也可在邻近主厂房处设单独的真空泵房,真空管道的长度不宜超过40m。

7.4.4 炉外精炼装置主体设备位置、工作平台高度及其平面尺寸,应满足各种操作条件和设备维护要求。当两台以上炉外精炼装置相邻布置时,工作平台高度宜一致,且两者的平台应连通。工作平台的设计均布负荷应为$10kN/m^2$。

8 炉渣处理

8.1 总体工艺设计

8.1.1 炉渣处理可采用下列工艺方法：热闷法、热泼法、滚筒法、风淬法、水淬法、浅盘法、格栅法、浸泡法、空冷和喷淋法。

8.1.2 渣处理宜采用全程渣不落地工艺，提高环保水平和处理效率。

8.1.3 渣处理工艺应控制渣中游离氧化钙含量，满足后续不同使用要求，处理后渣的粒度不宜大于100mm。

8.1.4 渣处理装置的能力应满足每小时最大产渣量的要求。

8.1.5 渣处理车间应设置事故渣处理设施。

8.1.6 炉渣间内吊运装有液态渣的渣罐或渣盘，必须采用铸造级起重机。

8.1.7 炉渣二次加工设施，必须配置粉尘净化设施，排放气体中含尘量必须符合现行国家标准《炼钢工业大气污染物排放标准》GB 28664 的有关规定。

8.1.8 炉渣应在回收废钢后综合利用。

8.2 转炉渣

8.2.1 转炉宜采用炉下渣罐车运往炉渣间的出渣方式，当采用抱罐汽车运输炉下渣罐时，应按固定路线运输。

8.2.2 转炉炉渣、双联法脱磷渣和脱碳渣宜分类进行处理。炉渣需进一步加工时，应另设炉渣加工间。

8.2.3 转炉渣处理宜采用热闷法、热泼法、滚筒法或浅盘法。

8.3 电炉渣

8.3.1 电炉渣可采用炉下渣罐车，也可采用抱罐汽车将液渣运至炉渣间处理。

8.3.2 电炉渣处理工艺方法宜采用热泼法、滚筒法或热闷法，也可采用风淬法。

8.4 精炼渣和铸余渣

8.4.1 精炼渣或铸余渣处理可通过抱罐车将铸余渣运至渣处理间，在采用环保条件好的处理工艺时，也可就近设置，直接利用钢水接受跨行车吊运。

8.4.2 精炼渣或铸余渣处理宜采用格栅法、热泼法或热闷法。

8.5 铁水预处理渣

8.5.1 铁水预处理渣宜采用抱罐车运至渣处理间，也可采用渣罐运输车运至炉渣间。

8.5.2 铁水预处理渣的处理工艺宜采用浸泡法、热泼法或热闷法。

8.6 不锈钢渣

8.6.1 不锈钢渣宜采用炉下渣罐车运往炉渣间的出渣方式，也可通过抱罐车将不锈钢渣运至渣处理间。

8.6.2 不锈钢渣处理工艺应采用空冷喷淋法。

8.6.3 钢渣冷却粉碎后应分离出所含金属，并应进行脱毒处理。钢渣处理过程溢流水应收集处理。

8.7 工 艺 设 备

8.7.1 热闷法设备应由热闷装置、供水装置、渣收集运输系统等组成，并应符合下列规定：

    1 热闷装置可采用闷坑、闷罐等不同的形式。

    2 闷罐由罐体、罐盖、底座、喷淋管路、锁紧装置等组成。闷罐应设计安装有安全防爆装置及保护装置。闷罐盖和罐体之间应设置密封装置。罐体应具备良好的隔热保温性能。罐体产生的蒸汽应回收利用或有组织排放。罐体底部应设计回水装置。罐体材料应耐高温、耐压、耐腐蚀。闷罐盖盖体设计应防止热变形、腐蚀。

3 闷坑应由坑体、闷盖、喷淋管路等组成。

8.7.2 热泼法设备应由热泼场、喷水装置、挖掘机或装载机等组成,并应符合下列规定:

1 热泼场可采用渣池、中间渣场、渣坑或渣箱;

2 挖掘机或装载机可用自行式。

8.7.3 滚筒法设备应由滚筒装置、渣罐倾动装置、输送系统、蒸汽排放系统等组成。滚筒法设备处理能力应为 1t/min、1.2t/min、1.5t/min、2t/min、2.5t/min、3t/min 系列,并应符合下列规定:

1 滚筒装置应由进料漏斗、滚筒本体、驱动装置、支撑装置、冷却装置等组成,并应具有冷却、破碎钢渣功能。

2 渣罐倾动装置应由倾翻本体、锁紧及倾转机构等组成,并应具有倾翻、平移等功能。

3 扒渣机应由扒渣臂及驱动机构等组成。扒渣臂应具有伸缩、俯仰、旋转功能。

4 输送系统应由组合式输送机、斗提机(或链斗机)、料仓等组成。

5 蒸汽排放系统应由烟道、放散管、除尘装置等组成。

8.7.4 风淬法设备应由中间包、出渣溜槽、水池、粒化器、收集输送系统等组成,并应符合下列规定:

1 中间包材质可采用铸钢;

2 出渣溜槽横截面宜采用 U 型,材质宜为普碳钢,可为焊接件或铸造件;

3 水池池壁应进行耐冲刷、耐腐蚀处理;

4 粒化器材质可采用普碳钢或不锈钢,中间孔与侧孔可呈 H 型分布,也可呈 U 型分布。压缩空气(氮气或蒸汽)流量可进行调节。

8.7.5 水淬法设备应由中间包、出渣溜槽、水池、粒化器、收集输送系统等组成,并应符合下列规定:
    1 中间包材质可采用铸钢;
    2 出渣溜槽横截面宜采用 U 型,材质可采用普碳钢、焊接件或铸造件;
    3 水池池壁应进行耐冲刷、耐腐蚀处理;
    4 粒化器材质可采用普碳钢或不锈钢。水流量可进行调节。

8.7.6 浅盘法设备应由浅盘、水池、收集输送系统等组成,并应符合下列规定:
    1 浅盘材质可采用铸钢;
    2 水池池壁应进行耐冲刷、耐腐蚀处理。

8.8 工艺布置

8.8.1 炉渣处理设施的工艺布置,应保证渣罐或渣盘流程顺畅无干扰,并应减少渣罐或渣盘的调运路程。

8.8.2 炉渣间的位置与布置,不应对周围环境与相近建筑物安全造成影响。炉渣间应根据地区气象条件和不同渣处理工艺过程采用露天栈桥、局部加房盖或全部加房盖的不同形式。铲渣、翻渣区应加盖围护。

8.8.3 当采用炉下电动渣罐车直运炉渣间的出渣方式时,炉渣间宜靠近主厂房布置。

9 机修与检化验

9.1 机 修

9.1.1 新建与改建炼钢厂宜单独设置仅用于日常维护的机修间,其大型备件的供应应统一由钢铁联合企业内部全厂机修系统负责或考虑外协解决。

9.1.2 如确实需要建设较大的炼钢机修设施时,仅设置机械加工车间;根据实际维修工作需要,必要时也可设置铆焊车间。

9.1.3 机修车间起重机的起重量应满足吊运零件和部件的最大重量,并考虑机床检修的需要。1台起重机的服务范围宜为60m。

9.1.4 机修车间应布置在与炼钢车间相邻且交通方便的适当位置,同时需要考虑炼钢厂生产技术改造的可能性,在总图布置上要留有余地。

9.1.5 机修部分的外部运输可采用过跨平板车、蓄电池搬运车、叉车或汽车运输方式。

9.2 检 化 验

9.2.1 新建炼钢厂应设检化验室,改建炼钢厂宜设检化验室或利用原有检化验设施。

9.2.2 检化验室任务应根据炼钢厂生产工艺要求确定,并应包括下列内容:

    1 承担铁水预处理前后铁水试样的化学成分分析任务,检验项目:C、Si、Mn、P、S等;

    2 承担转炉(电炉)炼钢过程样的化学成分分析任务,检验项目:C、Si、Mn、P、S、Cr、Ni、Mo、Ti、Cu等;

    3 承担炉外精炼过程样及连铸中间罐钢水的化学成分分析

任务,检验项目:C、Si、Mn、P、S、Cr、Ni、V、Mo、Ti、Cu、B、Nb、H、O、N等;

  4 以上分析宜设置炉前快速分析实验室。

9.2.3 炼钢检化验设施应包括:试样制备设施、分析设施及相关配套设施。

9.2.4 炼钢检化验室应包括:制样室、碳硫分析室、光谱分析室、X荧光分析室、外围设备室、风动送样收发室、存样室等。

9.2.5 炼钢检化验室宜紧邻炼钢车间主厂房设置。

9.2.6 检化验工艺设备的配置应符合下列要求:

  1 设备的数量应满足工作量的要求。通过计算确定设备数量时,应选用平均先进的设计定额。

  2 设备选型应按设计采用的检化验方法,要能满足检化验周期要求,保证工艺先进、可靠。

  3 产品标准中规定必检项目所需的设备应在设计时配备。

  4 设计中对主要设备宜选用定型的标准产品。

9.2.7 检化验设施的工作班制及工作天数应与所服务的车间一致。

9.2.8 试样宜通过风动送样管道送往炼钢检化验室。

9.2.9 风动送样装置应满足下列要求:

  1 压缩空气源应设有压力调节和空气过滤除水装置;

  2 样盒在管道内落下时应设有逆压反吹减速装置;

  3 样盒到达时应设有蜂鸣器及指示灯提示;

  4 设备及样盒运行中应设有指示等提示;

  5 收发柜操作过程中,各步动作应设有电器联锁。

10 电 力

10.1 负荷分级及供电电源

10.1.1 炼钢车间生产设施负荷应按二级负荷供电,在断电时可能造成重大损失的应按一级负荷供电,生产、生活辅助设施按三级负荷供电。

10.1.2 炼钢系统动力负荷应由两回线路供电,任一回线路应能满足生产所需的全部负荷。

10.1.3 炼钢动力系统的供电电压宜选用10kV。

10.1.4 电弧炉及钢包精炼炉冶炼变压器供电电压宜采用35kV。

10.1.5 10kV及35kV系统的控制及操作电源宜采用DC220V或DC110V。380V及以下的控制电源宜采用AC220V或DC24V,采用AC220V时宜通过隔离变压器供电。

10.1.6 炼钢系统的基础自动化设备及过程计算机设备应采用不间断电源供电。

10.1.7 转炉氧枪、副枪、RH氧枪、VOD氧枪等设备的事故提升采用电机驱动时,宜采用专门的事故电源对事故提升驱动电机供电。

10.2 供配电系统

10.2.1 供配电系统设计应符合现行国家标准《供配电系统设计规范》GB 50052和《低压配电设计规范》GB 50054的有关规定。

10.2.2 炼钢车间的10kV配电系统应设置在负荷较集中的场所。

10.2.3 对于负荷较大的炼钢车间,宜设置区域总降变电所,由区域总降压变电所降压后变成10kV,向炼钢各10kV配电系统进行供电。

10.2.4 大型的炼钢车间照明和吊车宜采用专用变压器供电,炼钢车间照明供电方式宜采用交叉供电方式,容量较大的吊车宜采用3kV供电。

10.2.5 电弧炉及钢包精炼炉应设置专用变压器供电,电源引自上级供电变电所,上级供电变电所宜采用专用母线或专用降压变压器为电弧炉及钢包精炼炉专用变压器供电。

10.2.6 电弧炉及钢包精炼炉应采取限制过电压措施,在电弧炉、钢包精炼炉变压器与断路器之间应装设过电压保护装置,该装置应尽量靠近变压器,在变压器二次侧宜装设过电压保护装置。

10.2.7 电弧炉及钢包精炼炉变压器室应设置隔离开关和接地开关,隔离开关和接地开关宜采用电动操作机构。

10.2.8 炼钢车间10kV配电宜采用单母线分段带母联的接线方式,任一段母线应具备承担生产所需的全部负荷的能力。

10.2.9 炼钢车间380V低压负荷中心配电宜采用单母线分段带母联的接线方式,任一段母线应具备承担生产所需的全部负荷的能力。

10.3 无功补偿及电能质量

10.3.1 炼钢车间的无功补偿装置的设计应符合现行国家标准《并联电容器装置设计规范》GB 50227的有关规定。补偿容量应根据电力部门的规定计算后确定。

10.3.2 对自然功率因数达不到要求的系统,应根据负荷情况宜在高压或低压母线上集中补偿。

10.3.3 对运行较平稳的负荷,宜采用不分组或分组的固定补偿方式;对运行波动较大的负荷,宜采用自动补偿的方式。

10.3.4 电弧炉及钢包精炼炉应根据电炉参数、供电系统参数、相关国家标准要求计算确定是否装设动态无功补偿装置,电弧炉及钢包精炼炉的无功补偿及滤波装置宜靠近炼钢车间安装。

10.4 变(配)电所及电气室

10.4.1 炼钢车间变(配)电所及电气室的设置应符合现行国家标准《20kV及以下变电所设计规范》GB 50053和《35kV～110kV变电站设计规范》GB 50059的有关规定。

10.4.2 在爆炸危险环境设置的电气室应符合现行国家标准《爆炸危险环境电力装置设计规范》GB 50058的有关规定。

10.4.3 炼钢车间变(配)电所应在靠近负荷中心的场所设置。

10.4.4 炼钢车间内的电气室应避免设置在吊车吊运通道下方以及运输铁水、钢水、钢渣等的车辆经过的通道附近，设置在有热辐射区域的电气室应进行隔热处理，炼钢车间外电气室应避免设置在具有高温、腐蚀、振动、粉尘等环境条件下。

10.4.5 电弧炉及钢包精炼炉变压器室应设置容积不小于20％变压器油量的贮油池，并应采取将油排到安全处的措施。

10.4.6 电弧炉及钢包精炼炉变压器室靠近大电流母线的墙及金属构架应采取防磁措施。

10.4.7 当电弧炉及钢包精炼炉变压器容量大于或等于40MV·A时，变压器室应设置自动灭火系统。

10.5 供配电及传动设备

10.5.1 炼钢车间的电气设备，需满足冶金工厂生产环境的要求，应选择节能环保型的产品。

10.5.2 电气设备选择应考虑设备安装地点的海拔、温度、湿度、地震灾害、机械振动、腐蚀等对设备的影响。

10.5.3 交流电弧炉和钢包精炼炉应选用可频繁操作的专用断路器，开关柜柜体宜采用固定式结构。

10.5.4 为电弧炉和钢包精炼炉供电的上级供电变电所专用变压器容量应大于电弧炉和钢包精炼炉变压器容量之和，并应留有一定余量。

10.5.5 炼钢车间中需调速的电动机宜采用交流变频装置。

10.6 电 气 工 程

10.6.1 防火设计应符合现行国家标准《建筑设计防火规范》GB 50016及《钢铁冶金企业设计防火规范》GB 50414的有关规定。

10.6.2 炼钢车间的电气线路设计应符合现行国家标准《电力工程电缆设计规范》GB 50217的有关规定。

10.6.3 炼钢车间的照明设计应符合现行国家标准《建筑照明设计标准》GB 50034的有关规定。

10.6.4 炼钢车间的防雷设计应符合现行国家标准《建筑物防雷设计规范》GB 50057的有关规定。

10.6.5 炼钢车间的接地设计应符合现行国家标准《交流电气装置的接地设计规范》GB 50065的有关规定。

11 仪 表

11.1 仪表选型设计

11.1.1 温度检测仪表应符合下列规定：

1 直接测温仪表准确度宜选 0.3；

2 温度 600℃以下宜选 Pt100 组装型热电阻，600℃以上宜选 E、K、S、B 分度的组装型热电偶；

3 震动较大的场合宜选铠装式；

4 S 分度热电偶宜在附近加装变送器；

5 转炉烟道上升段宜选高温耐磨专用热电偶；

6 插入式铁水、钢水测温定氧、定碳、定氢仪的准确度等级，测温宜选 3℃，其他宜不低于 3.0；

7 间接测温宜选红外测温仪，准确度等级宜选 4℃。

11.1.2 压力检测仪表应符合下列规定：

1 压力、差压仪表准确度等级宜不低于 0.3，100Pa 以下微差压仪表准确度等级宜不低于 0.5。变送器宜选接液式，有防堵要求时应选隔膜式。

2 压力开关可选无源和有源型仪表。

11.1.3 流量检测仪表应符合下列规定：

1 标准节流装置、均速管流量计的准确度等级宜不低于 2.5，电磁、涡街、科氏、热式质量流量计的准确度等级宜不低于 1.5；

2 纯净气体、液体流量计宜选符合现行国家标准《用安装在圆形截面管道中的差压装置测量满管流体流量》GB/T 2624 的节流装置，可选均速管、V 锥和涡街流量计，常温下还可选热式质量流量计；

3 水蒸气宜选径距取压标准节流装置,可选均速管或涡街流量计；

　　4 环境震动较大时不宜选用涡街流量计；

　　5 导电率高于 2.5μS/cm、管径 DN350 以下的常温非导磁液体,宜选电磁流量计,管径 DN400 以上的液体,宜选超声波流量计；

　　6 各种底吹气体宜选科氏、热式质量流量计；

　　7 流量开关可选无源和有源型仪表。

11.1.4 物位、液位检测仪表应符合下列规定：

　　1 检测连续量准确度等级宜不低于 2.5；

　　2 汽包、蓄热器液位检测宜选电容或差压式,无压容器、水池液位检测宜选静压式和雷达式,有挥发性气体或汽体液位检测时应慎选超声波；

　　3 料位连续物位检测宜选超声波、雷达和称重法；

　　4 煤气柜柜位/柜容检测宜选激光或雷达式；

　　5 液位开关宜选浮球,可选电接点或电容式；

　　6 料位开关宜选阻旋,可选音叉、光电、重锤或电容式。

11.1.5 有毒、易燃、易爆气体成分监测仪表应带就地声光报警,并可在有关控制室及必经道路入口处设显示及声光报警。

11.1.6 烟气成分分析装置应充分考虑被测工艺介质中背景气对准确度的影响,同时根据介质性质及压力、温度等,应考虑吹扫气源、管路保温、除尘、除湿、滞后、放散、有毒放散气的处理,宜合理选用有效的预处理系统及分析仪。

11.1.7 转炉炉口自动清灰微差压测控装置绝对误差宜小于±15Pa。

11.1.8 电子秤应符合下列规定：

　　1 皮带秤准确度等级宜不低于 2.5 级；

　　2 天车秤、动态轨道衡准确度等级宜不低于 2.0 级；

　　3 料斗秤、台车秤、静态轨道衡准确度等级宜不低于 1.0 级；

4 系统成分微调称量设备的准确度等级宜不低于0.3级。

11.1.9 阀门应符合下列规定：

1 调节阀、调节切断阀、切断阀可选单座阀、套筒阀、球阀和蝶阀；

2 氧气管道宜选全不锈钢阀，禁用闸阀；

3 宜选气动执行器，应保证气源故障时阀位在安全位置，需保持原位时应加装锁止阀，电气阀门定位器须有停电保位功能，选电动执行器时宜使用不间断电源；

4 调节阀宜选等百分比或固有特性，调节比宜不低于10：1；

5 调节切断阀应同时具有调节阀和切断阀的特性；

6 切断阀泄漏等级宜不低于Class-V，切断时间宜在5s～10s，快切阀宜小于3s，重要场合如煤气快切等，可装蓄能器；

7 低压小口径切断阀可选先导电磁阀替代。

11.2 检测控制项目

11.2.1 炼钢、精炼车间应设下列主要检测控制项目：

1 炼钢和精炼设施应设钢水测温取样装置，以设备类型、钢种需求、工艺要求为依据，组合采用定碳、定氧、定氢等功能。

2 炼钢出钢侧和精炼受、出钢侧应设统一的钢水称重，有过跨时可设独立称重。

3 上料、投料应设皮带秤称重，应设料仓料位检测、中间料斗和汇总斗称重。

4 铁水预处理：应设铁水称重、测温、液位检测。应设氮气压力检测、调节。应设储粉仓料位、流态化气路压力检测。应设喷吹罐称重，各流态化和喷吹氮气压力检测。应设冷却水温度压力流量检测。

　　1）转炉本体：应设铁水、废钢称重。应设设备冷却给水压力、给回水温度、温差、流量、流量差检测。应设氮封压力、流量检测，压力调节、切断。

2) 转炉顶吹:应设喷吹气体压力、流量检测、调节、切断,并可设预开度控制方式。

3) 氧枪:应设卷扬张力检测。应设冷却给水压力、给回水温度、温差、流量、流量差检测、切断,并应设氧枪安全联锁信号系统。

4) 转炉底吹:应设喷吹气体总管压力检测、调节、切断,支管压力、流量检测和流量调节,并可设模式控制。

5) 副枪:应设卷扬张力检测。应设冷却水、氮气温度、压力、流量检测。

5 电炉 EAF 应符合下列规定:

1) 应设铁水、废钢称重;

2) 应设各冷却给水总管温度、压力检测,上炉壳及冷却壁、短网系统、导电横臂、液压站和变压器的各回水支管及炉盖冷却回水总管的温度、温差、流量检测;

3) 宜设下炉壳炉底测温;

4) 带有底吹时,应执行第 4 款第 4 项的规定;

5) 带有氧气喷吹系统时,应执行第 4 款第 2 项的规定,并应设氧枪冷却给水压力、给回水温度、温差、流量、流量差检测、切断;

6) 对带有烟气余热利用、喷碳、连续给料的装置,应增设相应检测控制项目设计。

6 精炼应符合下列规定:

1) 钢包炉 LF:应设炉盖和短网侧冷却供水温度、压力、流量检测,冷却回水流量检测,水冷部件回水温度检测。底吹应执行第 4 款第 4 项的规定。

2) 合金微调 CAS‑OB:应设设备冷却给水温度、压力、流量检测,回水流量、流量差检测。应设底吹氩总管压力检测,支管流量调节、切断。带有顶吹氧 OB 时,应执行第 4 款第 2、3 项的规定。

3)炉后钢包吹氩站:应设底吹氩总管压力检测,支管流量调节、切断。

4)AOD:应设铁水、废钢称重。应设耳轴、炉口等设备冷却给水压力、给回水温度、温差、流量、流量差检测、切断。应设烟道冷却给回水温度、温差、压力检测、切断,烟道冷却回水支管流量检测。应设侧吹氧气、氮气、氩气压力、流量检测,流量调节、切断。应设低压氮气总管压力检测、切断,低压氮气支管压力、流量检测、流量调节。带有顶吹氧时,应执行第4款第2、3项的规定。

5)VD:应设真空室真空度检测。应设设备冷却给水温度、压力检测,回水流量检测。带有底吹时,应执行第4款第4项的规定。

6)VOD:应设真空室真空度检测,烟气温度、一氧化碳、二氧化碳、氧气检测。应设设备冷却给水温度、压力检测,回水流量检测。带有底吹时,应执行本条第4款第4项。吹氧系统应执行本条第4款第2项,应增设吹氧管冷却介质压力、流量检测,流量调节、切断。

7)RH/RH-TB:应设真空槽内温度、真空度检测。应设提升氩气、氮气温度、压力检测,流量调节。应设烟气温度、流量检测,一氧化碳、二氧化碳、氧气含量检测。应设设备冷却给水温度、压力检测,回水流量检测。应设真空料斗称重,真空度检测,破真空阀控制。带有底吹时,应执行第4款第4项的规定。带有顶吹氧TB时,应执行第4款第2项的规定,并应增设吹氧管冷却介质压力、流量检测,流量调节、切断。

8)真空泵:蒸汽喷射和机械真空泵,均应设各级真空度测量和真空阀的控制。对蒸汽喷射方式应增设蒸汽温度、流量、压力检测和压力调节。应增设各级冷凝器冷凝水温检测,一级冷凝器冷凝水液位、压力、流量检测,冷凝水总管温度、压力、流量检测。应增设热井液位、排水、排污压力、流量检测。

11.2.2 炼钢、精炼车间公辅设施应设下列主要检测控制项目：

1 余热回收和蓄热器应执行现行国家标准《钢铁企业热力设施设计规范》GB 50569 的有关规定。

2 烟气除尘与回收应符合下列规定：

 1）蒸发冷却器：应设出口烟温检测控制，喷水压力检测，流量调节、切断，蒸汽温度、压力、流量检测。

 2）烟道上升段：应设烟温检测。

 3）转炉炉口：应设炉口微差压检测控制。不宜设自动吹扫控制。

 4）灰仓转运系统：应设灰仓温度、压力、灰位检测。

 5）干法除尘：应设除尘器进出口烟温、出口压力检测，绝缘子气封流量检测。应设煤气冷却器液位检测控制，出口烟压检测，喷淋冷却水温度、压力、流量检测。

 6）湿法除尘：应设各设备进出烟温、压力、差压检测，浊环给水总管水温、压力、流量检测，氮气和喷水压力、流量检测，压力调节，反冲洗控制，液压站冷却水温度、压力、流量检测。

 7）风机房与放散回收：应设风机前后煤气温度、压力、差压检测。应设风机后一氧化碳、氧气含量分析，吹扫，三通切换阀、旁通阀、回收/点火放散控制，水封逆止阀及其液位检测控制。应设供冷却水、蒸汽、氮气、煤气压力检测。应设风机及其电机系统监控，宜设风机前流量检测。

3 各烘烤装置应含燃料计量仪表。

4 车间除尘应设除尘器入口温度、压力检测，除尘器差压检测。主要除尘点可设排烟阀控制，并可纳入相应控制室。

5 钢渣处理间应设给水流量检测。

6 水泵站：应设冷却泵组总管温度、压力、流量检测，补水流量检测,水池、安全水塔(箱)液位检测。可设上塔泵组总管流量检测,排污量检测,水质监测仪表。

7 能源介质检测控制应设车间级能源介质总检测控制,并可设工序级能源介质检测控制。

8 煤气柜及其加压站应执行现行国家标准《工业企业煤气安全规程》GB 6222 的有关规定。

11.2.3 风机、布袋除尘器、冷却塔、变压器、液压站、钢包、铁包烘烤等仪表宜随工艺设备成套。

11.2.4 氧枪、浸渍管、喷枪制备、维修、烘烤等配套设施的仪表,宜执行上述炼钢、精炼主体设备仪表标准。

11.3 仪表动力源

11.3.1 仪表电源宜选符合当地标准的交直流电源,可配稳压或不间断电源。

11.3.2 仪表气源宜选满足现行国家标准《工业自动化仪表气源压力范围和质量》GB 4830 的压缩空气,宜配维持时间大于 10min 的储罐。仪表气源可配备用气源,封闭场合不宜使用氮气。

11.3.3 液压源宜选随阀自带的电液式单元。

11.4 仪表防护与安全

11.4.1 仪表及其盘箱柜 IP 防护等级应根据环境选择,并应采取相应的屏蔽、防卤防腐、防浪涌、防雷、接地措施。

11.4.2 仪表防护与安全应执行现行国家标准《爆炸危险环境电力装置设计规范》GB 50058 的有关规定。

11.4.3 仪表防护与安全应执行现行国家标准《可燃性粉尘环境用电气设备》GB 12476 的有关规定。

11.4.4 转炉煤气净化回收区域设备和管道易泄漏煤气点、煤气净化回收设施附近有人值守的房间、封闭或半封闭的煤气烘烤作业区域,如转炉主车间二层以上平台、风机房、真空精炼装置的真空泵水封池(或热水箱)附近或机械真空泵房内,均应设固定式一氧化碳监测及声光报警装置,并应设便携式一氧化碳监测仪。煤气泄漏报警装置的设计应符合现行国家标准《石油化工可燃气体和有毒气体检测报警设计规范》GB 50493 的有关规定。

11.4.5 远传氧浓度监控应在带有氮气源的封闭室内阀站设置。

11.4.6 在大型电缆通廊内应选用阻燃电缆。

11.4.7 高温、高压、有毒介质变送器应远引至安全位置并装二次阀。

11.4.8 仪表阀门瞬间噪声应控制到车间内 80dB 以下,车间外 115dB 以下。

11.4.9 仪表室、仪表间、控制室宜与电气专业一同考虑建设。

11.4.10 车间外仪表及其管线,最低年历史温度-5℃以下时应做伴热防护,-5℃~5℃时应做保温防护,5℃以上时宜做一般防护。车间内可做一般防护。

12 电　　信

12.0.1 炼钢车间电信系统设计应符合下列规定：

1 生产管理、检修及其他有对外联系需求的部门应设置行政管理电话，并应接入公司行政电话系统。

2 操作岗位之间的生产联系有扩音通信功能需求时，应设置具有选呼、组呼等功能的扩音通信系统。炼钢与连铸同属一个车间管理时，可共用扩音对讲通信系统。

3 生产过程中需要监视且操作人员又难以直接观察的生产工（部）位，应设置工业电视系统，其系统设计应符合现行国家标准《工业电视系统工程设计规范》GB 50115 的有关规定。

4 电气室、过程计算机室、主控楼、变电所和电缆隧道等场所应设置火灾自动报警系统，其设计应符合现行国家标准《钢铁冶金企业设计防火规范》GB 50414 的有关规定。

5 生产计划下达与计划协调等业务需通过调度员组织实施时，宜设置程控数字调度电话系统。炼钢与连铸同属一个车间管理时，可共用调度电话系统。

6 需发布全车间性或某作业区域的生产信息或广播找人时，宜设置有线广播系统。

7 移动操作岗位之间、移动操作岗位与固定操作岗位之间的通信联系，宜设置无线对讲电话系统。

12.0.2 炼钢车间电信系统供电应符合下列规定：

1 火灾自动报警系统供电应符合现行国家标准《火灾自动报警系统设计规范》GB 50116 和《钢铁冶金企业设计防火规范》GB 50414 的有关规定；

2 其他电信系统应由安全可靠的交流电源回路供电。当交流电源电压波动超过电信设备正常工作范围时,应设置具有净化功能的稳压电源。

13 自动化控制与信息化

13.1 一般规定

13.1.1 自动化控制应根据生产工艺要求、工厂技术及管理要求等基础条件,正确设计经济适用、互相协调的自动化系统。

13.1.2 自动化系统设计应选用运行安全可靠、技术经济效益显著,并具有一定的先进性、开放性和扩展能力的设备和系统。

13.1.3 自动化系统所控制的重要关键设备应采用 UPS 电源供电,其后备时间应能满足工作电源停电后应急处理的需要。

13.2 基础自动化

13.2.1 铁水预处理、转炉、电炉和炉外精炼等工艺设备的操作控制,应采用由电气传动、逻辑控制和检测回路控制组成的一体化系统。

13.2.2 基础自动化系统与现场控制设备的连接应采用通信网络或硬线连接的方式。

13.2.3 基础自动化系统应由可编程控制器、人机接口及通信网络等部分组成,通信网络设备宜选用工业型。

13.2.4 基础自动化系统应有效地控制相关设备的运行,并应对生产中工艺参数进行设定、检测和调节。基础自动化系统应能独立于过程自动化系统,能独立控制生产设备进行正常生产。

13.2.5 与基础自动化系统所关联的周围环境应满足控制系统设备对温度、湿度的要求。

13.2.6 设置于室内及室外现场的控制盘应满足该环境下对电气设备防护等级的要求。

13.2.7 控制系统设备应安全接地,信号屏蔽接地及等电位联结应符合国家现行标准的相关规定,应根据雷击风险确定防雷措施设计。

13.2.8 系统电磁兼容性设计应符合国家现行标准的有关规定,并符合现场地域环境的要求。

13.2.9 控制系统的设计在有防爆要求的环境中应符合国家现行标准对于防爆的有关规定。

13.2.10 紧急停车系统应符合下列规定:

　　1 紧急停车区域的划分应按工艺生产关联的密切程度划分,与触发点密切相关的设备应划分到同一区域;

　　2 紧急停车系统应由具有安全继电器的硬件电路组成;

　　3 紧急停车状态应人工确认后手动解除,且解除后不能导致相关设备的自动重新起动;

　　4 重要生产设备在操作室操作台(箱)、机旁操作台(箱)上应设置紧急操作按钮,包括紧急停止和紧急启动。

13.2.11 程序软件设计应做到可靠、稳定、容错率高、具备故障诊断功能,并应具有当前的程序先进性,具备日后扩展的能力。

13.2.12 程序软件应具备对控制对象不断变化的过程进行数据采集、分析和处理、并应具有报警提示及记录、趋势记录及查找等功能。

13.2.13 控制系统的设计应充分满足生产和设备的安全性的要求:

　　1 工作方式或顺序上的操作失误应被系统所识别,应予以提示、纠正或禁止;

　　2 程序设计应充分满足可靠的设备联锁关系;

　　3 应考虑设备故障的应急处理;

　　4 对控制系统稳定性要求较高的场合,应使用设备冗余或利用安全控制设备。

13.2.14 程序软件应符合现行国家标准《可编程序控制器》GB/T 15969中关于编程语言的有关规定。

13.2.15 人机接口(HMI)应符合现行国家标准《安全色》GB 2893中对符号、安全色和安全标志的有关规定。

13.2.16 控制系统程序软件应满足生产工艺过程控制的需求,应确保在调试和生产运行过程中不会因为软件本身的缺陷造成人身伤害和设备损坏。

13.3 过程控制

13.3.1 炼钢车间内铁水预处理、转炉、电炉、炉外精炼等主要工艺设施应设置过程控制计算机系统。

13.3.2 炼钢过程控制计算机系统的控制范围应从铁水包到达铁水预处理开始,到钢包离开炉外精炼为止。

13.3.3 炼钢过程控制计算机系统应采用C/S结构、B/S结构或C/S结构和B/S结构相结合的形式。过程控制计算机系统宜采用服务器冗余、网络冗余。

13.3.4 炼钢过程控制计算机系统的应用软件功能,应满足生产工艺要求及控制要求,应用软件功能应包含基本功能和数学模型。基本功能应包含:生产计划管理、生产实绩管理、作业标准管理、生产设备管理、报表管理、通信管理等内容。主要数学模型应符合表13.3.4的规定。

表13.3.4 炼钢过程控制计算机系统主要模型项目

序号	工序	模型	类型	选择	备注
1	铁水预处理	温度模型	动态	√	
		脱硫模型	静态	√	
		脱磷模型		◎	
		脱硅模型		◎	
2	转炉	装料计算模型	静态	√	
		辅料加料计算模型		√	
		总氧量和冷却剂计算模型		√	

续表 13.3.4

序号	工序	模型	类型	选择	备注
2	转炉	终点目标计算模型	静态	√	
		合金计算模型		√	
		钢水液面高度计算模型		◎	
		动态碳温预报模型	动态	*	需具备副枪或炉气分析设备
3	电炉	冶炼时间和能量动态计算模型	动态	◎	
		总氧量计算模型	静态	√	
		废钢配料模型		√	
		合金计算模型		√	
		渣料计算模型		√	
		热平衡模型		√	
		动态温度和碳成分预报模型	动态	√	
4	LF	温度模型	动态	√	
		功率优化模型		◎	
		冶炼时间模型		◎	
		合金加料及成分预报模型	静态	√	
		造渣模型		◎	
		底吹搅拌模型	动态	◎	
5	AOD	温度模型	动态	√	
		冶炼时间模型		◎	
		合金加料及成分预报模型	静态	√	
		碳含量预报模型	动态	√	
		吹氧量计算模型	静态	√	
		造渣模型		◎	

续表13.3.4

序号	工序	模 型	类型	选择	备注
6	VD/VOD	温度模型	动态	√	
		冶炼时间模型		◎	
		真空优化模型	静态	√	
		合金加料及成分预报模型		√	
		碳含量预报模型(仅VOD)	动态	√	
		吹氧量计算模型(仅VOD)	静态	√	
		气体含量预报模型	动态	◎	
7	RH/RH-TB	温度模型	动态	√	
		冶炼时间模型		◎	
		真空优化模型	静态	√	
		合金加料及成分预报模型		√	
		碳含量预报模型(仅RH-TB)	动态	√	
		吹氧量计算模型(仅RH-TB)	静态	√	
		气体含量预报模型	动态	◎	

注：√表示应设的项目，◎表示可选的项目，*表示依设备是否具备该功能而定。

13.3.5 计算机网络通信宜选用以太网标准，并应采用TCP/IP协议。

13.3.6 过程控制计算机系统应设置计算机机房。

13.4 信 息 化

13.4.1 新建与改建炼钢厂宜设置炼钢生产管理系统和检化验管理系统。

13.4.2 管理系统应覆盖铁水预处理、转炉、电炉、炉外精炼等工艺范围。

13.4.3 软件开发应符合现行国家标准《信息技术 软件生存周期过程》GB/T 8566的有关规定。

13.4.4 生产管理系统宜配置订单管理、生产计划管理、质量管理、技术标准管理、原料管理、能源管理、成品管理、生产实绩收集、生产设备管理、耗材备件管理、系统管理等功能。

13.4.5 检化验管理系统宜自动采集检化验结果数据,并应对样品信息进行管理,将数据实时传输到炼钢生产管理系统等外部信息化系统。

13.4.6 炼钢生产管理系统和检化验管理系统应采用数据备份、网络防病毒和防火墙等措施保证数据安全。

13.4.7 炼钢生产管理系统宜设置专用的计算机房。

13.4.8 炼钢区域的网络应统一规划并具有可扩展性。

13.4.9 炼钢生产管理系统应预留与能源管理系统、计量系统、生产调度系统、ERP系统等其他信息化系统的接口。

14 给 水 排 水

14.1 一 般 规 定

14.1.1 炼钢工程给水排水系统的设置应遵循节能减排、循环利用、集中和分散、近期和远期相结合的原则,因地制宜并应满足全厂给水排水系统总体规划的要求。

14.1.2 供水系统和水处理设施组成应根据工艺用水水质指标的要求确定。

14.1.3 水处理设施应根据炼钢工艺总体规划进行总体布置,满足流程合理和通畅的要求。

14.1.4 转炉除尘、炉渣处理等水处理设施宜靠近工艺装置所在厂房布置。

14.1.5 炼钢车间改造时应合理利用原有给水排水设施。

14.1.6 炼钢工程给水排水工程设计应符合现行国家标准《钢铁企业给水排水设计规范》GB 50721、《钢铁企业节水设计规范》GB 50506、《钢铁冶金企业设计防火规范》GB 50414、《工业循环冷却水处理设计规范》GB 50050 的有关规定。

14.2 炼钢工艺用水水质及用水条件

14.2.1 炼钢工程各系统用水水质指标应由炼钢及相关工艺用户确定,在工艺用水水质指标不确定的情况下,可按表 14.2.1-1、表 14.2.1-2 选取,同时应结合补充水水质,工况条件及水稳药剂配方等因素综合确定。

表 14.2.1-1 炼钢用水水质指标(一)

项 目	单 位	循环水系统名称	
		间冷开式系统	间冷闭式系统
pH	—	7~9	7~9

续表 14.2.1-1

项　目	单　位	循环水系统名称	
		间冷开式系统	间冷闭式系统
悬浮物	mg/L	≤20	≤20
悬浮物中最大粒径	mm	≤0.2	≤0.2
全硬度(以 $CaCO_3$ 计)	mg/L	≤450	≤20
Ca 硬度(以 $CaCO_3$ 计)	mg/L	30～200	≤10
M－碱度(以 $CaCO_3$ 计)	mg/L	≤350	≤350
氯离子(以 Cl^- 计)	mg/L	≤200	≤200
总铁	mg/L	0.5～1.5	0.5～1.5
硅酸盐(以 SiO_2 计)	mg/L	≤40	≤40
油	mg/L	≤2	≤1
电导率	μS/cm	≤2000	≤3000

注:1 在使用不锈钢换热设备的情况下氯离子含量宜小于200mg/L,在使用碳钢换热设备情况下氯离子含量宜小于1000mg/L;

2 硫酸根离子＋氯离子应小于1500mg/L。

表 14.2.1-2 炼钢用水水质指标(二)

项　目	单　位	用户系统名称		
		炉外精炼直接冷却水	煤气冷却器直接冷却水	湿法除尘直接冷却水
pH	—	7～9	7～9	9～12
悬浮物	mg/L	≤50	≤15	≤100
碳酸盐硬度(以 $CaCO_3$ 计)	mg/L	≤500	≤100	≤100
硫酸盐(以 SO_4^{2-} 计)	mg/L	≤2000	≤2000	≤2000
电导率	μS/cm	≤2000	≤3000	≤6000

注:1 悬浮物中最大粒径要求以用户需要确定;

2 炉渣处理直接冷却水对循环水、补充水水质不做具体要求。

14.2.2 炼钢工程用水及排水的设计参数应由炼钢工艺确定。

14.3 供水系统

14.3.1 供水系统在满足工艺用水的条件下,应结合当地的水资源状况及自然条件,通过技术经济比较后确定。

14.3.2 各循环水系统的排污水宜由全厂统一处理并回收利用。

14.3.3 各循环水系统设计应充分利用剩余压力。

14.3.4 间冷开式系统中旁滤水量可按补充水的悬浮物含量、空气中含尘量等因素经计算确定。当缺少计算资料时可为循环水用量的5%～10%。

14.3.5 介质过滤器反洗排水不得直接排入厂区排水管网,应处理后回收利用。

14.4 水处理设施

14.4.1 闭式系统应符合下列规定:

  1 全闭式循环冷却水系统的主要设施应包括热交换器(或蒸发冷却器等)、循环水泵、补水装置、水质稳定设施、冷媒水设施;

  2 半闭式循环冷却水系统的主要设施应包括热交换器(或蒸发冷却器等)、循环水池、循环水泵、水质稳定设施、冷媒水设施;

  3 贮存软水、除盐水的构筑物应进行防腐处理;

  4 热交换器(或蒸发冷却器)应设置旁通管路。

14.4.2 间冷开式循环水系统主要设施应包括冷却塔、循环水池、各环节加压泵、旁通过滤设施、水质稳定设施。

14.4.3 直冷系统应符合下列要求:

  1 转炉湿法除尘直接冷却水系统应包括高架流槽、粗颗粒分离器(或水力旋流器)、沉淀设施(辐流式沉淀池、斜板沉淀池、高效澄清器)、冷却塔、各环节加压泵、加药设施;

  2 转炉干法除尘直接冷却水系统应包括循环水池、各环节加压泵、过滤设施、冷却塔、水质稳定设施;

  3 炉外精炼直接冷却水系统应包括沉淀池(或过滤设施)、各环节加压泵、冷却塔、加药设施;

4 炉渣直接冷却水系统应包括渣沟、沉淀池、循环水池、各环节加压泵、水质稳定设施。

14.4.4 高架流槽应符合下列规定：

1 高架流槽不宜过长，水流速度宜为 1.5m/s～3.0m/s（大型转炉采用高值）；

2 流槽断面可设计成矩形、梯形或底部为半圆形断面，流槽超高宜为 0.3m～0.4m；

3 高架流槽应设有清扫检修用走道，其宽度应 0.7m～1.0m；

4 流槽室内部分宜设有活动盖板、室外部分宜为敞口。

14.4.5 转炉湿法除尘系统应设置粗颗粒分离器（或水力旋流器），设计停留时间宜为 2min～5min。

14.4.6 转炉一次湿法除尘直接冷却水系统冷却塔宜采用无填料空心塔或网格填料冷却塔。

14.4.7 泥浆管道冲洗水不宜采用工业新水。

14.4.8 炼钢污泥脱水工艺可采用转鼓式真空过滤机、水平式真空压滤机、带式压滤机、厢式压滤机和板框压滤机。

14.5 安全供水

14.5.1 炼钢设备安全供水系统应符合现行国家标准《钢铁企业给水排水设计规范》GB 50721 的有关规定。

14.5.2 严寒和寒冷地区，安全供水设施应采取防冻保护措施。

14.6 水质稳定

14.6.1 循环水系统应设置水质稳定设施。

14.6.2 水质稳定设施需要投加的药剂及剂量，应根据循环水系统水质、系统设计、补充水及设备材质等因素确定。

14.7 补 充 水

14.7.1 循环水系统补充水水质应根据水源条件及工艺专业对循

环冷却水系统水质要求、设计浓缩倍数等因素确定。

14.7.2 开式系统的正常补水量,应根据系统蒸发水量、风吹损失水量、排污和渗漏水量以及生产中消耗水量等参数计算确定。系统充水时间宜小于8h。

14.7.3 闭式系统的补水量应由计算确定,当缺少计算参数时,可按冷却水量的0.3%～0.5%确定,并应以系统充水时间小于6h校核。

14.7.4 渣处理系统补充水应优先使用浓含盐水,同时亦应设有备用水源。

14.8 水质分析及监测

14.8.1 水处理设施化验室设置应符合现行国家标准《工业循环冷却水处理设计规范》GB 50050的有关规定。

14.8.2 炼钢水处理水质分析室的主要检测内容,应根据工艺要求、水处理工艺流程以及生产管理中水质监测的必要项目确定,应按下列项目设置:

　　1 补充水主要分析内容应为悬浮物、pH值、总碱度、总硬度、碳酸盐硬度、非碳酸盐硬度、氯化物、硫酸根、电导率;

　　2 循环水主要分析项目应为悬浮物、油、含盐量、总硬度、碳酸盐硬度、碱度、电导率、pH值及Ca^{2+}、Mg^{2+}、Cl^-等离子含量、菌藻、微生物、结垢和腐蚀率分析;

　　3 污泥处理系统主要分析项目应为脱水前泥浆浓度、脱水后的泥饼含水率。

14.8.3 循环水系统宜在下列位置设置水样采集管:

　　1 各循环水系统冷却设施进水管;

　　2 过滤器(含旁通过滤器)进、出水总管。

14.8.4 水处理系统主要设备运行状态和系统主要运行参数应进行检测。

15 热 力

15.1 一 般 规 定

15.1.1 转炉应设置余热锅炉系统回收转炉出口烟气余热。

15.1.2 电炉宜设置余热锅炉系统回收电炉余热。

15.1.3 余热锅炉的补水水质及锅水水质,当蒸汽额定出口压力小于 3.8MPa 时,应符合现行国家标准《工业锅炉水质》GB 1576 的有关规定;当蒸汽额定出口压力大于或等于 3.8MPa 时,应符合现行国家标准《火力发电机组及蒸汽动力设备汽水质量》GB/T 12145 的有关规定。

15.1.4 余热锅炉系统应设置加药装置。

15.1.5 余热锅炉给水管道宜采用单母管制,锅筒水位宜采用双水位控制,给水调节应采用自动调节。

15.1.6 热力系统应符合现行国家标准《钢铁企业热力设施设计规范》GB 50569 的有关规定。

15.2 转炉余热锅炉系统

15.2.1 转炉余热锅炉汽包最高工作压力等级系列应为 1.6MPa、2.5MPa、3.2MPa、4.0MPa。

15.2.2 转炉余热锅炉应分为活动烟罩、炉口段烟道、固定段烟道和尾段烟道,固定段烟道可根据布置形式分为多段,固定段烟道的总段数不宜超过 3 段。

15.2.3 公称容量小于或等于 120t 的转炉余热锅炉炉口段宜设置为一段,公称容量大于 120t 的转炉余热锅炉炉口段宜设置为两段。

15.2.4 转炉采用上修炉方式时,炉口段烟道宜设置为可横移烟道,与活动烟罩、炉口段连接的管道应满足升降、横移、拆卸和密封要求。

15.2.5 转炉余热锅炉应按未燃法设计,余热锅炉出口设计烟气温度宜为800℃～1000℃。

15.2.6 炉口段烟道与转炉炉口之间应设置可升降的活动烟罩。

15.2.7 活动烟罩与炉口段烟道之间、氧枪口、副枪口、下料口应采用密封。

15.2.8 转炉余热锅炉系统的循环泵入口、给水泵入口,强制循环烟道入口应设置便于拆卸清洗的过滤装置。

15.3 电炉余热锅炉系统

15.3.1 电炉第四孔烟气余热锅炉出口冷却温度宜低于200℃。

15.3.2 电炉余热锅炉应设置燃烧沉降室,燃烧沉降室宜采用汽化冷却形式回收烟气余热。

15.3.3 电炉余热锅炉汽包最高工作压力等级系列应为1.6MPa、2.5MPa、3.2MPa、4.0MPa。

15.3.4 电炉余热锅炉的操作室宜与电炉操作室合并设置。

15.3.5 电炉余热锅炉补水泵的扬程,应能克服从补水箱出口到除氧器进口水流动的总阻力,除氧器正常水位与补水箱正常水位间的水柱净压差、除氧器的额定工作压力之和并富余3kPa～5kPa。

15.3.6 电炉烟道水冷滑套和燃烧沉降室人孔门宜采用软水或工业水冷却。

15.3.7 高压循环泵的容量、扬程和台数应符合下列规定:

1 高压循环泵不应少于2台,其中1台备用;

2 高压循环泵的总容量及台数,应保证在任何1台高压循环泵停用时,其余高压循环泵的总流量,仍能满足所接循环回路中总的平均蒸发量的12倍～20倍;

3 高压循环泵的扬程应为锅筒下降管出口到锅筒上升管进

口循环水经循环水泵流动的总阻力并另加10%的余量；

4 高压循环泵应采用热水泵。

15.3.8 高压循环泵应布置在锅筒以下的平台上,且锅筒的最低水位面到高压循环泵中心线的水柱,不应小于下列各项的代数和：

1 高压循环泵进口处水的汽化压力和锅筒额定工作压力之差；

2 高压循环泵的汽蚀余量；

3 高压循环泵进水管的流动阻力；

4 高压循环泵安全运行必需的富余量3kPa～5kPa。

15.3.9 在高压强制循环回路中应设流量检测装置。

15.3.10 电炉余热锅炉锅筒容积在低水位时,锅筒的有效水容积,应保证在给水系统出现故障时,使锅炉安全工作到炼完一炉钢水；在高水位时,锅筒的蒸汽空间应满足锅炉最大瞬时蒸发量时蒸汽空间负荷强度不超过$450m^3/(m^3 \cdot h)$。

15.3.11 锅炉应设定期排污扩容系统,排污扩容器的容量应满足锅炉事故放水的需要。

15.3.12 排污管路、取样管应符合下列要求：

1 每台余热锅炉的定期排污应从锅筒底部和余热锅炉各段的下联箱接出。排污水可用管道单独排出,也可用总排水管道排出。

2 定期排污用的阀门,应安装两个串联的阀门,其中一个为切断阀,另一个为快速排污阀,切断阀安装在靠近锅筒和下集箱侧。

3 炉水取样宜从锅筒接取。

4 除氧水取样,可在除氧水箱上,也可在给水管道上。

15.3.13 除氧水箱的超压放散管上宜设置排汽消声器。除氧器排汽消声器的排放量不应小于加热蒸汽的最大输入量。

15.3.14 电炉烟道式余热锅炉本体的结构设计应满足下列规定：

1 锅炉本体受热面的截面形状宜采用圆形或多边形。其直径应按最大烟气量时锅炉本体沿程的烟气平均流速最大不宜超过30m/s,最小不宜低于18m/s的原则确定。

2 受热面的分段及选取的截面形状应结合厂房布置以及运输尺寸限制条件等因素,经技术经济比较后确定。

3 烟道应采用管子隔板式或鳍片管式结构。受热管子的根数宜为4的倍数。受热面上开孔的形式宜采用迭管式或挤管式,不宜采用集箱式。受热管应选用锅炉用无缝钢管,受热管的管径应考虑水循环的可靠。第一段烟道内部可采取涂刷防磨层的措施。

4 锅炉本体各段之间及锅炉本体与有关设备之间的连接宜采用法兰连接或波纹管连接形式,不宜采用焊接连接形式。

15.3.15 电炉余热锅炉本体支吊架的设置应由下列原则确定:

1 保证锅炉本体的稳固、重心稳定;

2 锅炉本体的荷载均匀分配;

3 适应锅炉本体的热胀位移。

15.3.16 电炉余热锅炉给水泵应安装在除氧器的下方,其高差应满足防止水泵汽蚀的要求。锅炉高压循环泵应安装在锅筒的下方,其高差应满足防止水泵汽蚀的要求。

15.3.17 电炉余热锅炉的每一循环回路上升管应从锅炉汇集联箱的顶部接出。

15.4 炉外精炼热力设施

15.4.1 真空精炼装置用蒸汽喷射泵工作蒸汽宜采用带5℃～10℃微过热度的干饱和蒸汽,宜采用转炉余热锅炉、电炉余热锅炉经蓄热器供出的蒸汽;供汽系统应能适应真空精炼短时间歇的工作特点,并应保证蒸汽工作参数的稳定。

15.4.2 蒸汽喷射真空泵应采取必要的噪声污染的隔音措施。

15.5 蒸汽供应

15.5.1 转炉余热锅炉、电炉余热锅炉产生的蒸汽应通过蓄热器后供给用户使用。

15.5.2 蓄热器宜采用集中设置,当采用集中设置时蓄热站宜布置在距离余热锅炉系统较近的位置。

15.5.3 蓄热器的布置宜根据总图位置、厂区蒸汽管网、给水管道连接的方便、土建投资、气候环境条件等因素综合比较后确定。

15.5.4 蓄热器周围应有检修、维护的场地和通道,通道宽度不宜小于1.2m。蓄热器操作平台宽度不应小于0.8m,平台以上的净空高度不应小于1.8m。平台应安装围栏。

15.5.5 需要防冻的地区,蓄热器区域应有防冻设施。

15.5.6 蓄热器可多层布置,并列运行的蓄热器应设置水、蒸汽的平衡管,平衡管道上应设置切断阀。

15.5.7 蓄热器输出的蒸汽应首先供应炼钢厂内部生产、生活使用,多余的蒸汽输入厂区管网或用于蒸汽发电。

15.5.8 炼钢车间内蒸汽管道的疏放水和凝结水宜回收。

15.6 压缩空气供应

15.6.1 炼钢车间各工艺单元的仪表用压缩空气宜就近设置储气罐。

15.6.2 炼钢车间压缩空气管道的设计应执行现行国家标准《压缩空气站设计规范》GB 50029的有关规定。

16 采暖通风空调及除尘

16.1 一般规定

16.1.1 炼钢系统的采暖通风空调及除尘设计应符合现行国家标准《采暖通风与空气调节设计规范》GB 50019 和《民用建筑供暖通风与空气调节设计规范》GB 50736 中的有关规定。

16.1.2 炼钢系统的采暖通风空调及系统的管道、构件和设备防腐刷漆涂装工程应按国家现行标准《通风与空调工程施工质量验收规范》GB 50243、《工业金属管道工程施工规范》GB 50235 和《钢结构、管道涂装技术规程》YB/T 9256 中有关规定执行。

16.2 采 暖

16.2.1 炼钢系统各工段(房间)采暖应符合表 16.2.1 的规定：

表 16.2.1 各工段(房间)采暖设计参数

序号	工段(房间)名称	室内计算温度(℃)	热 媒	采暖方式
1	二次烟气除尘风机房、污泥处理系统的各房间、水泵房、液压泵房	≥5	蒸汽或热水	散热器或热风采暖
2	一次烟气除尘风机房、煤气柜阀门间	≥5	蒸汽或热水	散热器
3	操作室、控制室、化验室	16～18	蒸汽或热水	散热器
4	工艺无特殊要求的房间采暖温度应按现行国家标准《采暖通风与空气调节设计规范》GB 50019 中的要求执行			

16.2.2 采暖地区的划分以及值班房间的采暖室内温度数值还应

符合现行国家标准《民用建筑供暖通风与空气调节设计规范》GB 50736的有关规定。

16.3 通 风

16.3.1 炼钢系统的通风应符合下列规定：

1 对炉前操作区等高温操作的工作地点，均应设移动式通风机；

2 一次烟气除尘风机房应设平时通风和事故通风，通风设备应选用防爆型；

3 二次烟气除尘风机房应设置通风装置，自然通风能满足的，宜采用自然通风；

4 炉前化验室的化验柜应设置局部排风装置，通风设备选用防腐材质；

5 氧枪阀门室、底吹阀门室应设置机械通风装置，氧枪阀门室的通风设备应选用防爆型；

6 煤气柜阀门室应设置机械通风装置，通风设备应选用防爆型；

7 地下管廊和地下电缆隧道应设置机械通风装置。

16.3.2 炼钢车间工作区温度标准应符合国家现行有关工业企业设计卫生标准。

16.4 空 调

16.4.1 炼钢系统控制室及操作室应设置冷暖空调，或者夏季降温、冬季另设采暖设施。

16.4.2 炼钢系统空调机组应与火灾报警装置联锁，有火灾发生时，空调机组自动停机。

16.5 除 尘

16.5.1 炼钢工程除尘系统应符合下列规定：

1 除尘系统净化后排放浓度和排放速率应满足国家和地方的排放标准；

2 除尘系统应符合现行行业标准《钢铁工业除尘工程技术规范》HJ 435 中的有关规定；

3 严寒地区除尘系统宜设风机房；

4 除尘设施的排气筒高度应符合国家现行有关标准的规定；

5 烟气降温应优先考虑余热回收。

16.5.2 除尘系统主要设备的设置应遵守下列规定：

1 除尘系统宜采用负压式并优先选用干式电除尘器或袋式除尘器；

2 在袋式除尘器入口烟气中含有炽热颗粒物时，在除尘器入口前的管道上应设火花捕集装置；

3 除尘器卸、输灰宜采用机械输送或气力输送，卸、输灰过程不应产生二次污染；

4 除尘系统管网的计算风量、风压不应直接用于风机、电机选型，选型应符合现行国家标准《采暖通风与空气调节设计规范》GB 50019 的有关规定；

5 除尘系统需多台风机并联工作时，应选取相同型号、相同性能的机组，其风量、风压应符合现行国家标准《采暖通风与空气调节设计规范》GB 50019 中的有关规定；

6 周期性变负荷运行的除尘系统，风机应配置与工艺设备联锁控制的调速装置，并应采取措施，防止因管道内风速过低引起的水平管道内粉尘沉降。

16.5.3 除尘系统辅助设备的设置应符合下列规定：

1 除尘系统控制和检测应包括系统的运行控制、参数检测、状态显示、工艺联锁；

2 各除尘系统的除尘设备、除尘风机和输灰设备的操作应设置就地与远程两种操作方式；

3 对大型除尘设备、输灰设备等设备较为集中场所，应考虑检修用电源和设于控制室的通信联络用电话；

4 在大、中型除尘风机的机壳外部宜设有消声材料包覆隔音层。对大、中型负压除尘系统的除尘风机出口应设置消音器。

16.5.4 除尘系统管道及检修设施设置应符合下列规定：

1 除尘系统各环路的压力损失应进行压力平衡计算。各并联环路压力损失的相对差额不宜超过10%。当通过调整管径或改变风量仍无法达到上述数值时，宜装设调节装置。

2 设置在高温或有腐蚀性气体的场所内的阀门，应有防护措施。电动阀门应设置检修平台和梯子。

3 除尘系统的排气筒，应设置粉尘测量孔和检测用电源，并应设置检测平台以及螺旋走梯。

4 除尘器的进口管道、除尘风机的进出口管道上宜设测量孔，当测点高度超过3m时，应设置工作平台和梯子。

5 管径大于DN500除尘管道上的阀门附近应设置检查手孔。

16.5.5 转炉炼钢除尘应符合下列规定：

1 铁水倒罐站、铁水预处理站、吹氩站、散状料加料系统等烟气与粉尘发生点应设置烟尘捕集和干式除尘系统；

2 转炉的二次烟气，应设置烟尘捕集和干式除尘系统；

3 新建转炉的主厂房宜设置或预留三次除尘设施，并应采用干式除尘系统。

16.5.6 电炉炼钢除尘应符合下列规定：

1 电炉炉内排烟应设置一次烟尘收集净化系统，电炉炉外烟气宜设置密闭罩（或导流罩）、屋顶罩相结合的烟尘收集净化系统；

2 铁水预处理站、散状料加料系统等烟气与粉尘发生点应设置除尘系统；

3 电炉一次烟尘系统，在布袋除尘器入口前应设温度检测和冷风混风阀。

16.5.7 炉外精炼设施应设置烟尘捕集和干式除尘系统。

16.5.8 炉渣二次加工设施应设置烟尘捕集和干式除尘系统。

17 燃 气

17.1 一般规定

17.1.1 燃气设施的设计除应符合本规范外,尚应符合现行国家标准《工业企业煤气安全规程》GB 6222 和《深度冷冻法生产氧气及相关气体安全技术规程》GB 16912 的有关规定。

17.1.2 涉及氧气、氮气、氩气、煤气、乙炔、天然气等压力管道的设计、施工、安全保护装置以及安全防护的基本要求应符合国家现行标准《压力管道安全技术监察规程——工业管道》TSG D0001、《压力管道规范 工业管道》GB/T 20801、《工业金属管道设计规范》GB 50316、《工业管道的基本识别色、识别符号和安全标识》GB 7231 的有关规定。

17.2 转炉煤气净化回收系统

17.2.1 系统设备 3m 范围区域内及净化回收管道上的电气设备的爆炸性气体环境危险区域划分应符合现行国家标准《爆炸危险环境电力装置设计规范》GB 50058 的有关规定。

17.2.2 转炉煤气净化回收系统可采用湿法、半干半湿法或干法工艺。新建项目宜采用干法工艺。

17.2.3 转炉煤气湿法净化装置供水主管上不得并接与净化系统无关的用户,供水总管上宜设过滤器和流量、温度、压力检测装置及低压报警装置,信号传至转炉生产煤气管理室。排水应通过负压水封排出。

17.2.4 转炉煤气干法或半干法净化系统的排灰装置应充氮保护,保持严密,并应采取防止卸灰二次扬尘的措施。

17.2.5 转炉煤气干法净化泄爆阀开启信号应与转炉吹氧信号

联锁。

17.2.6 转炉煤气抽气风机应一炉一机；放散烟囱应一炉一个，当设置备用风机时，正常生产与备用风机之间应能实现完全切换；不回收煤气时，应经烟囱点燃放散，放散时要有火焰监测装置和氮气或蒸汽灭火设施，放散烟囱高度应高于周围半径200m范围内最高建筑物3m以上，且不低于50m。

17.2.7 系统应设转炉煤气微氧和一氧化碳含量的在线连续测定装置及氮气吹扫装置。当煤气含氧量超过2%或煤气柜位高度达到上限时应停止回收，立即点火放散。

17.2.8 系统布置应符合下列规定：

1 设备、风机房应布置在主厂房常年最小频率风向的上风侧；

2 设备布置应保持畅通，管道和设备不允许有死角；

3 系统应设自闭式泄爆阀，泄爆口不应正对建筑物的门窗或人行检修通道；

4 转炉煤气净化设备之间以及它们与墙壁之间的净距不应小于1m；

5 转炉煤气风机房内主机之间以及主机与墙壁之间的净距不应小于1.3m，主要通道不应小于2m，人行通道不应小于1.5m；

6 转炉煤气风机房的操作室和配电室不应设置在风机房主车间内，贴邻风机房主车间时，应采用无门窗洞口的防火墙隔开，若必须在防火墙上开观察窗时，应设置密封固定的甲级防火隔音窗；

7 燃烧放散烟囱不宜与转炉煤气风机房的操作室布置在同一侧。

17.2.9 转炉煤气风机出口的煤气管道与送气柜的回收煤气总管之间应设可靠的隔断装置。可采用三通切换蝶阀和切断阀或三通切换蝶阀和V形水封的方式。V形水封的有效高度应为煤气计算压力至少加5000Pa。V形水封两侧应设置放散管、吹扫头和取样管。给水管上应设水封和止回阀。禁止将排水管、溢流管直接插入下水道。

17.3 燃气介质阀站和管网

17.3.1 主厂房外的氧气阀站应设置独立阀门室或防护墙,其手动阀门的阀杆宜伸出防护墙外操作。

17.3.2 主厂房内的氧气顶吹阀站、氮气顶吹阀站和底吹阀门站等宜设置在带通风换气的独立房间里。

17.3.3 氧气管道设计应符合下列规定:

1 氧气管道的连接应采用焊接,但与设备、阀门连接处可采用法兰或螺纹。螺纹连接处应采用聚四氟乙烯薄膜作为填料。

2 进炼钢车间氧气主管切断阀门后和转炉氧枪金属软管前应设铜管阻火器。

3 进炼钢车间氧气主管切断阀门或氧气调节阀前应设置可定期清洗的过滤器。氧气过滤器壳体应用不锈钢或铜合金,过滤器内件应用铜及铜合金,滤网宜选用镍铜合金材质,网孔尺寸宜为 0.16mm~0.25mm。

4 氧气管道严禁穿过生活间、办公室,不宜穿过不使用氧气的房间;氧气管道不宜穿过高温及火焰区域,若必须通过时,应在该管段增设隔热设施,管壁温度不应超过 70℃,严禁明火及油污靠近氧气管道及阀门。

5 氧气管道的弯头、三通不应与阀门出口直接连接。调节阀组、干管阀门、车间入口阀门,其出口侧的管道宜有长度不小于 5 倍管径且不小于 1.5m 的直管段。

6 供切焊用氧气支管及切焊工具或设备用软管连接时,供氧阀门及切断阀应设在用不燃烧体材料制作的保护箱内。

7 氧气管道应敷设在不燃烧体支架上。

8 氧气管道的最高允许流速及材质要求、氧气管件的选用、氧气阀门的选用、架空氧气管道与其他管线之间最小间距要求均应符合现行国家标准《深度冷冻法生产氧气及相关气体安全技术规程》GB 16912 的有关规定。

17.3.4 煤气管道设计应符合下列规定：

1 煤气管道与附件的连接宜采用法兰，其他部位宜采用焊接；

2 一氧化碳含量高于 10%（如转炉煤气、高炉煤气）的煤气管道严禁埋地敷设，其余煤气管道宜架空敷设；

3 转炉煤气抽气机前、后的煤气管道计算压力应等于抽气机的最大升压；

4 转炉煤气风机前、后净化设备及管道的气密性试验压力应为计算压力加 5kPa，且不应小于 30kPa；

5 设备和管道内的煤气严禁用空气吹扫和置换，应采用蒸汽或氮气。

17.3.5 煤气设备与管道附属装置应符合下列规定：

1 凡需检修的部位应设可靠的隔断装置。

2 隔断装置应采用闸阀或密封蝶阀与水封、盲板或眼镜阀等并用作为可靠切断。

3 盲板或堵板可用于煤气设施预留延伸的部位，宜采用整块钢板结构。盲板不宜单独使用于其他部位，其安装操作位置应有撑铁顶开装置。

4 煤气设备和管道隔断装置前、煤气设备和管道的最高处和末端应设置放散管。放散管应高出煤气管道、设备和走台 4m，离地面不小于 10m。放散管口应采取防雨、防堵塞措施。放散管的闸门前应装有取样管。

5 禁止在厂房内或向厂房内放散煤气。厂房内或距厂房 20m 以内的煤气管道和设备上的放散管，管口宜高出房顶 4m。

6 煤气设施的放散管不得公用。

7 煤气管道的低点应设排水器，两条或两条以上的煤气管道及同一煤气管道隔断装置的两侧，宜单独设置排水器。两个或多个排水器上部的排水管不得连通。

8 同一介质的煤气管道如设同一排水器,其水封有效高度应按最高压力计算;不同介质的煤气管道不得共用一个排水器。

9 排水器应设有检查管头、清扫孔和放水的闸阀或旋塞,其溢流管口应设漏斗。排水管应加上、下两道阀门,阀门宜选用闸阀或旋塞。直接连接给水管的排水器应设给水漏斗。寒冷地区的排水器应采用电伴热或蒸汽伴热等防冻措施。

18 建筑与结构

18.1 一般规定

18.1.1 建筑、结构设计应满足生产要求,符合国家现行标准的有关规定,并应采用成熟可靠的建筑、结构形式和新材料、新技术。

18.1.2 建筑、结构的安全等级应按现行国家标准《建筑结构可靠度设计统一标准》GB 50068 的有关规范确定。一般炼钢工厂建(构)筑物安全等级宜为二级。

18.1.3 建筑防火设计应符合现行国家标准《建筑设计防火规范》GB 50016 及《钢铁冶金企业设计防火规范》GB 50414 的有关规定。

18.1.4 建筑防腐设计应符合现行国家标准《工业建筑防腐蚀设计规范》GB 50046 的有关规定。

18.1.5 地震区建筑、结构设计应符合现行国家标准《建筑抗震设计规范》GB 50011 及《构筑物抗震设计规范》GB 50191 的有关规定,宜采用体型简单规则的结构形式。

18.1.6 建筑结构荷载取值应符合现行国家标准《建筑结构荷载规范》GB 50009 的有关规定,并应满足生产工艺的操作、检修要求。

18.1.7 厂房、平台和基础等结构若受热源辐射影响,必须采取隔热防护措施。

18.2 主厂房

18.2.1 厂房宜采用钢结构形式,结构设计应符合国家现行标准的有关规定。

18.2.2 厂房建筑、结构平面布置及内部空间应满足生产工艺及设备检修的要求。

18.2.3 厂房围护结构应满足生产工艺及节能、采光的要求。

18.2.4 厂房应合理设置通风天窗和竖风井。北方地区通风天窗宜采用可启闭的方式,南方地区宜采用常开方式。

18.2.5 主厂房各跨起重机轨道两侧与厂房两端山墙处应设贯通的安全走道,并应在高于或等于主工作平台的厂房柱间配置连通各跨与各主要工作平台的参观通道。

18.2.6 各跨厂房屋面应配置起重机的检修设施。

18.2.7 电炉跨电炉区域车间屋面宜采用全密闭结构,在电炉上空应设置屋顶罩。

18.2.8 主厂房的门洞尺寸应满足废钢料篮、炉壳、变压器等大型设备通过,并应留有不小于 600mm 的安全净空。

18.2.9 车间宜采用混凝土地坪,各跨地坪上应设置带有鲜明标志的人行安全走道。

18.2.10 对于可能发生触电危险的区域,应采取设置防护遮拦或其他防触电措施。

18.2.11 厂房柱基础形式和地基方案应综合考虑场地工程地质、水文地质、周围环境、施工条件以及基础荷载等因素确定。

18.2.12 厂房柱基础的承载力和地基变形设计应符合现行国家标准《建筑地基基础设计规范》GB 50007 的有关规定。

18.3 设备基础

18.3.1 设备基础的地基方案选取,基础选型和构造要求应符合现行国家标准《钢铁企业冶金设备基础设计规范》GB 50696 的有关规定。

18.3.2 设备基础的荷载选取、计算,基础的变形控制量应符合现行国家标准《钢铁企业冶金设备基础设计规范》GB 50696 的有关规定。

18.3.3 防磁区域内的钢筋、钢材应采用不导磁的奥氏体不锈钢,钢筋的接长宜采用焊接或机械连接,焊条采用相应型号的不锈钢焊条,不锈钢钢筋与普通钢筋在防磁区外连接。

18.4 工艺平台

18.4.1 平台布置应满足生产工艺及设备安装的要求。

18.4.2 转炉平台为多层钢架结构体系,框架柱脚与基础宜采用刚接连接,框架及各层平台宜采用钢结构形式。电炉平台、铁水预处理平台、精炼平台等为独立平台结构,应有独立支撑体系,平台可采用钢结构或钢筋混凝土结构形式,如平台活荷载较大或有防振要求,平台铺板宜采用钢筋混凝土板。

18.4.3 转炉、电炉周围应设置全封闭结构。

18.5 公辅设施建筑

18.5.1 公辅设施建筑应满足工艺要求。

18.5.2 公辅设施建筑根据使用功能、荷载特点、跨度大小可采用钢筋混凝土、砌体或钢结构形式。

18.5.3 厂区管道支架设计还应符合现行国家标准《钢铁企业管道支架设计规范》GB 50709 的有关规定。

19 总图运输

19.1 厂址选择

19.1.1 厂址选择应符合国家钢铁产业发展政策所规定的产业布局,符合所在地的城市和工业区规划。

19.1.2 厂址选择应进行多方案技术经济比较,包括原料、燃料及材料的来源及成品的运输(距离、运输方式、运输费用);交通运输条件(连接的便捷性及工程量);自然条件(地形、地质、水文、气象等);能源供应(水、电、风、气等);防洪排涝;既有设施;外部协作及建设费用。

19.1.3 厂址应有畅通、经济的交通运输条件。

19.1.4 厂址靠近江、河、湖、海的,应尽量利用水运,宜靠近相关码头。

19.1.5 厂址应位于城市(镇)及居住区常年最小频率风向的上风侧。

19.1.6 厂址应尽量避开海潮、洪水、泥石流、滑坡、地震影响的地段;不能避开时,应视具体情况按有关规定设防,并应具有完整的地质、水文、气象资料。

19.1.7 厂址选择应满足现行国家标准《钢铁企业总图运输设计规范》GB 50603 的有关规定。

19.2 厂区平面布置

19.2.1 厂区布置应多方案技术经济比较(自然、环境、交通、工艺流程的顺畅,物流、介质流及人流的顺畅、短捷、便捷、不折返)。

19.2.2 厂区办公室、生活室等宜设置在厂区最小频率风向的下风侧地区。

19.2.3 值班室不应设置在氧气、煤气管道上方。值班室距氧气、煤气管道及其他易燃易爆气体、液体管道的水平净距和垂直净距应符合氧气、煤气等设计安全规定。

19.2.4 炼钢生产配套的氧气站、煤气柜应为独立区域并满足相应的规范要求。

19.2.5 在满足炼钢车间生产工艺流程要求和不影响发展的条件下,炼钢车间应靠近高炉布置,缩短铁水运输距离。

19.2.6 炼铁、炼钢、连铸和接受连铸坯的轧钢车间应尽量联合布置。

19.2.7 炼钢车间地下受料槽的位置宜根据原料运进的方向确定;煤气除尘、煤气净化、煤气回收设施、循环水系统、污泥处理等设施,应按其工艺流程布置在炼钢车间附近。

19.2.8 电炉炼钢车间的废钢贮存、加工和配料等工序应集中布置,并应紧邻炼钢车间电炉跨,尽可能与其联合布置。当电炉需要兑入部分熔铁时,要避免铁水运输与废钢运输的相互干扰。

19.2.9 废钢切割间、落锤间及废钢堆场宜集中布置。

19.2.10 落锤间应有可靠的防止废钢飞散的围护结构。废钢爆破装置应布置在人员稀少的厂区边缘安全区域。废钢爆破装置与其他建筑物之间的安全距离应大于150m,并应采取必要的安全措施。

19.2.11 炼钢车间的钢渣处理设施宜布置在炼钢主厂房常年最小频率风向的上风侧,并应有方便的运输条件。

19.2.12 电炉炼钢的总降压变电所应靠近车间布置,但不能影响电炉车间的发展。

19.2.13 厂内建筑物、构筑物之间的安全间距应符合现行国家标准《建筑设计防火规范》GB 50016、《钢铁企业总图运输设计规范》GB 50603 的有关规定。

19.2.14 厂内建筑物、构筑物距铁路、道路的具体要求应符合现行国家标准《钢铁企业总图运输设计规范》GB 50603 的有关规定。

19.2.15 炼钢工程设计中各种介质管线间的安全间距要求应符合国家现行标准的有关规定。

19.3 运 输

19.3.1 道路运输的道路技术标准、运输组织应按现行国家标准《厂矿道路设计规范》GBJ 22、《钢铁企业总图运输设计规范》GB 50603 中的有关规定执行。

19.3.2 铁水运输一罐到底的道路设计宜根据实际运输设备的载重、外形尺寸核算道路结构。

19.3.3 铁路运输的轨道、线路设计,运输组织应符合现行国家标准《Ⅲ、Ⅳ级铁路设计规范》GB 50012、《钢铁企业总图运输设计规范》GB 50603 的有关规定。

19.3.4 除铁水、废钢、钢坯、炉渣或其他大宗物料可采用铁路运输外,炼钢区域内的物料运输采用无轨运输方式,也可采用专用轨道线运输方式或皮带运输方式。

19.4 绿 化

19.4.1 炼钢工程的绿化设计应根据生产性质和自然条件统一考虑,全面规划、合理布局,尽量利用可绿化的土地、墙面及空间,美化厂容。全厂绿化率应符合现行国家标准《钢铁企业总图运输设计规范》GB 50603 的有关规定,即新建钢铁企业绿化用地率宜控制在 20% 范围内,改建钢铁企业绿化用地率宜控制在 15% 范围内。

19.4.2 绿化布置及绿化植物的选择,以及树木与建(构)筑物及管线的最小间距应符合现行国家标准《钢铁企业总图运输设计规范》GB 50603 的有关规定。

20 安全与环保

20.1 安 全

20.1.1 炼钢工程安全设计应贯彻"安全第一,预防为主,综合治理"的方针、职业卫生设计应贯彻"预防为主,防治结合"的方针。

20.1.2 炼钢工程安全卫生设计应结合工程实际,积极采用新技术、新工艺、新材料和新设备,做到安全适用、技术先进、经济合理。

20.1.3 炼钢工程针对火灾、爆炸、机械伤害、起重伤害、触电、物体打击、车辆伤害、高处坠落、淹溺、灼烫、坍塌、中毒和窒息等的安全设计应符合现行行业标准《炼钢安全规程》AQ 2001 的有关规定。

20.1.4 炼钢工程针对尘、毒、噪声、高温、热辐射、高频辐射等职业卫生设计应符合国家现行有关工业企业设计卫生标准和黑色金属冶炼及压延加工业职业卫生防护技术规范。

20.1.5 从国外引进设备时,其安全卫生设计应符合国家现行标准要求。

20.1.6 炼钢工程安全设计应按建设项目安全预评价、安全设立评价、职业病危害预评价审批意见优化完善工程设计。

20.2 消 防

20.2.1 炼钢工程消防设计应贯彻"预防为主,防消结合"的方针,防止或减少火灾危害,保护人身和财产安全。

20.2.2 炼钢工程消防设计应结合工程实际,积极采用新技术、新工艺、新材料和新设备,做到安全适用、技术先进、经济合理。

20.2.3 炼钢工程消防设计应符合现行国家标准《建筑设计防火

规范》GB 50016、《钢铁冶金企业设计防火规范》GB 50414 的有关规定。

20.2.4 工程设计应按建设项目消防审查意见进行优化完善。

20.3 环境保护与综合利用

20.3.1 炼钢工程环保设计应坚持循环经济、清洁生产的原则。

20.3.2 炼钢工程的厂址选择、总平面布置以及废气、废水、噪声、固体废物的处理、处置方式,应符合现行国家标准《钢铁工业环境保护设计规范》GB 50406 的有关规定。

20.3.3 转炉煤气、含铁尘泥、钢渣等综合利用,应符合现行国家标准《钢铁工业资源综合利用设计规范》GB 50405 的有关规定。

20.3.4 炼钢工程各项污染物的排放应符合国家和地方排放标准要求;对引进项目,其设备、装置污染物排放水平不得低于国家标准要求。

20.3.5 电炉应采用烟气急冷、活性炭吸附、高效除尘等方式减少烟气中二噁英的排放。

20.3.6 改建、扩建工程的环保设施设计,应新、老工程统一规划、实施。

20.3.7 工程设计应按建设项目环境影响评价的审批意见进行优化完善。

21 节　　能

21.0.1 炼钢工程节能设计应坚持能源消耗减量化原则，提高能源利用率和副产煤气、余热余能、水资源回收利用水平，严格控制各工序能耗水平。

21.0.2 炼钢工程节能设计应符合现行国家标准《钢铁企业节能设计规范》GB 50632 的有关规定。

21.0.3 炼钢工程各工序能耗设计指标应符合现行国家标准《粗钢生产主要工序单位产品能源消耗限额》GB 21256 和《钢铁企业节能设计规范》GB 50632 中相关限值要求。

21.0.4 转炉设备应大型化，提高转炉炼钢热效率；应采用高效供氧技术，降低氧气消耗；并应采用少渣炼钢技术，提高生产效率。电炉设备应向炉容大型化，高功率、超高功率供电，海绵铁炼钢方向发展。

21.0.5 新建炼钢工程宜采用全连铸工艺，并应实现连铸坯热送热装。

21.0.6 炼钢车间工艺平面布置应采用物流顺畅、铁水及钢水倒运次数少和运输距离短，且缩短冶炼周期的工艺布置。

21.0.7 新建或改造炼钢车间应配套建设煤气回收、净化和利用系统，转炉煤气回收指标不应小于 $90Nm^3/t$（煤气热值不小于 $1800kcal/Nm^3$）。

21.0.8 转炉冶炼应加强节水节电，宜采用煤气干法除尘、水泵变频调速和转炉渣水淬利用浓盐水技术等。

21.0.9 炼钢工程应加强余热、余能资源的回收利用，应对高温烟气余热进行回收利用；宜采用蓄热式钢包烘烤技术，对烟气余热进行回收利用。

21.0.10 合理规划利用转炉余热锅炉(汽化冷却装置)制取的饱和蒸汽,应首先利用该饱和蒸汽用作真空处理,再根据其余工艺设备所需蒸汽参数,作过热处理,或通过技术经济比较确定设置低压蒸汽发电。

21.0.11 铁水预处理工序、转炉冶炼工序、电炉冶炼工序和炉外精炼工序消耗的各种能源介质应按现行国家标准《钢铁企业能源计量器具配备和管理要求》GB/T 21368 的有关规定配置计量器具、仪表。

22 工程与技术经济

22.1 工程经济

22.1.1 设计概算应按编制时项目所在地的价格水平编制,总投资应完整地反映编制时建设项目的实际投资;设计概算应考虑建设项目施工条件等因素对投资的影响;还应按项目合理工期预测建设期价格水平,以及资产租赁和贷款的时间价值等动态因素对投资的影响;建设项目总投资还应包括投资方向调节税和铺底流动资金。

22.1.2 设计概算文件应包括:编制说明、总概算表、各单项工程综合概算表、工程建设其他费用概算表等。

22.1.3 概算编制说明应包括下列内容:

1 项目概况:主要车间组成、主要设备选型、设计规模、建设性质。

2 基本费用组成:按各主要生产车间、各辅助设施、工器具及生产家具购置费、工程建设其他费用、预备费项目划分的投资及各占概算基本费用的百分比。按建筑工程费、安装工程费、设备购置费、其他费用划分的投资及各占概算基本费用的百分比。

3 资金来源:按资金来源不同渠道分别说明,发生资产租赁的说明租赁方式及租金。

4 编制依据:主要包括批准的可行性研究报告;国家、行业和地方政府有关法律、法规或规定;资金筹措方式;建筑及安装工程概算定额、综合单价、指标依据;建筑安装工程费用编制依据;工程价格取价基础(人工、材料、机械取价时间、地区);工程建设其他费用编制依据;引进工程和费用计算依据、组成及汇率;非标设备价格依据;标准设备价格依据;设备运杂费取定;建设期贷款利息的编制依据及有关数据的取定;有关文件、合同、协议;其他应说明的编制依据。

5 主要技术经济指标:项目概算总投资(有引进的给出所需外汇额度)及主要分项投资、主要技术经济指标(主要单位投资指标)等。

6 引进工程和费用用汇情况。

7 环境保护设施和劳动安全卫生及消防工程费用情况。

8 其他有关问题的说明:费用范围,如应该包括没有包括的内容和费用;建设项目外围设施与厂内设施的划分;建设进度等。

22.1.4 概算总投资应由工程费用(第一部分费用)、工程建设其他费用(第二部分费用)、预备费(第三部分费用)以及应列入项目概算总投资中的建设期利息、固定资产投资方向调节税(暂停征收)和铺底流动资金等几项费用(第四部分费用)组成。

22.1.5 总概算表的编制应符合下列程序:

1 第一部分工程费用:
  1)各单项工程综合概算费用,按工艺流程分车间或设施顺序排列;
  2)工器具及生产家具购置费。

2 第二部分工程建设其他费用:按其他费用概算顺序列项。

3 第三部分预备费:包括基本预备费和价差预备费。

4 第四部分费用:包括建设期贷款利息、固定资产投资方向调节税(暂停征收)和铺底流动资金。

5 前三部分费用之和构成工程建设投资,整个四部分费用之和为建设项目总投资。

22.1.6 综合概算表的编制应符合下列规定:

1 综合概算表应以单项工程编制,由单位工程概算费用组成;

2 一个建设项目概算的编制,应按工程建设其他费用内容编制其他费用概算表,并应划分费用性质。

22.1.7 单位工程概算应以单位工程项目编制。

22.1.8 设计概算的深度应符合下列要求：

1 设计概算的编制应说明清楚、内容完整、取费符合规定，总概算和综合概算中的建筑面积、设备重量和技术经济指标要填列完整；

2 建筑安装工程单位工程概算，主要工程项目，应以概算单价法编制，辅助建筑、小型建筑可按指标法编制。附属、辅助及生活福利设施可按概算指标法或类似工程指标法编制。

22.2 技术经济

22.2.1 当炼钢工程作为独立建设项目时，宜将炼钢工程和连铸工程合在一起进行分析及评价。对全厂性建设项目，且将对全厂进行总体财务分析及评价时，炼钢工程可只测算其内部各工序的生产成本。

22.2.2 财务分析与评价应遵循下列基本原则：

1 "有无对比"原则；

2 效益与费用计算口径对应一致的原则；收益与风险权衡的原则；

3 定量分析与定性分析相结合，以定量分析为主的原则；

4 动态分析与静态分析相结合，以动态分析为主的原则。

22.2.3 财务分析应采用以市场价格体系为基础的预测价格。在不具备预测的前提下，可采取简化方法。

22.2.4 设计文件宜确定出项目投资基准财务内部收益率和项目资本金基准财务内部收益率。

22.2.5 财务分析应符合现行的财务和税收制度。

22.2.6 设计文件应说明项目资金来源及使用计划，项目资本金比例必须符合国家要求。

22.2.7 财务分析应计算项目投资现金流量表、项目资本金现金流量表、投资各方现金流量表（当项目为多方投资时）、利润与利润分配表、借款还本付息计划表、资产负债表和财务计划现金流量表等财务分析报表,并应据此进行盈利能力分析、偿债能力分析和财务生存能力分析。

22.2.8 设计文件应对项目进行不确定性分析,主要包括盈亏平衡分析和敏感性分析。对重大固定资产投资项目还应进行风险分析。

22.2.9 设计文件应根据项目的盈利能力分析、偿债能力分析、财务生存能力分析和不确定性分析得出项目的财务分析结论。

22.2.10 设计文件应加强多方案经济比选及节能措施的经济性分析。

22.2.11 包含铁水预处理、冶炼、精炼、渣处理等多工序时,应进行总体金属平衡、劳动定员、技术经济指标分析。

本规范用词说明

1 为便于在执行本规范条文时区别对待,对要求严格程度不同的用词说明如下:

  1)表示很严格,非这样做不可的:

    正面词采用"必须",反面词采用"严禁";

  2)表示严格,在正常情况下均应这样做的:

    正面词采用"应",反面词采用"不应"或"不得";

  3)表示允许稍有选择,在条件许可时首先应这样做的:

    正面词采用"宜",反面词采用"不宜";

  4)表示有选择,在一定条件下可以这样做的,采用"可"。

2 条文中指明应按其他有关标准执行的写法为:"应符合……的规定"或"应按……执行"。

引用标准名录

《建筑地基基础设计规范》GB 50007
《建筑结构荷载规范》GB 50009
《建筑抗震设计规范》GB 50011
《Ⅲ、Ⅳ级铁路设计规范》GB 50012
《工业电视系统工程设计规范》GB 50115
《建筑设计防火规范》GB 50016
《采暖通风与空气调节设计规范》GB 50019
《压缩空气站设计规范》GB 50029
《建筑照明设计标准》GB 50034
《工业建筑防腐蚀设计规范》GB 50046
《工业循环冷却水处理设计规范》GB 50050
《供配电系统设计规范》GB 50052
《20kV及以下变电所设计规范》GB 50053
《低压配电设计规范》GB 50054
《建筑物防雷设计规范》GB 50057
《爆炸危险环境电力装置设计规范》GB 50058
《35kV～110kV变电站设计规范》GB 50059
《交流电气装置的接地设计规范》GB 50065
《建筑结构可靠度设计统一标准》GB 50068
《火灾自动报警系统设计规范》GB 50116
《工业企业总平面设计规范》GB 50187
《构筑物抗震设计规范》GB 50191
《电力工程电缆设计规范》GB 50217
《并联电容器装置设计规范》GB 50227

《工业金属管道工程施工规范》GB 50235
《通风与空调工程施工质量验收规范》GB 50243
《工业金属管道设计规范》GB 50316
《钢铁工业资源综合利用设计规范》GB 50405
《钢铁工业环境保护设计规范》GB 50406
《钢铁冶金企业设计防火规范》GB 50414
《石油化工可燃气体和有毒气体检测报警设计规范》GB 50493
《钢铁企业节水设计规范》GB 50506
《钢铁企业热力设施设计规范》GB 50569
《钢铁企业总图运输设计规范》GB 50603
《钢铁企业节能设计规范》GB 50632
《钢铁企业冶金设备基础设计规范》GB 50696
《钢铁企业管道支架设计规范》GB 50709
《钢铁企业给水排水设计规范》GB 50721
《民用建筑供暖通风与空气调节设计规范》GB 50736
《厂矿道路设计规范》GBJ 22
《工业锅炉水质》GB 1576
《用安装在圆形截面管道中的差压装置测量满管流体流量》GB/T 2624
《安全色》GB 2893
《废钢铁》GB 4223
《工业自动化仪表气源压力范围和质量》GB 4830
《工业企业煤气安全规程》GB 6222
《工业管道的基本识别色、识别符号和安全标识》GB 7231
《信息技术 软件生存周期过程》GB/T 8566
《火力发电机组及蒸汽动力设备汽水质量》GB/T 12145
《可燃性粉尘环境用电气设备》GB 12476
《可编程序控制器》GB/T 15969
《深度冷冻法生产氧气及相关气体安全技术规程》GB 16912

《压力管道规范　工业管道》GB/T 20801
《粗钢生产主要工序单位产品能源消耗限额》GB 21256
《钢铁企业能源计量器具配备和管理要求》GB/T 21368
《炼钢工业大气污染物排放标准》GB 28664
《炼钢安全规程》AQ 2001
《钢铁工业除尘工程技术规范》HJ 435
《压力管道安全技术监察规程——工业管道》TSG D0001
《冶金石灰》YB/T 042
《炼钢用直接还原铁》YB/T 4170
《炼钢用生铁》YB/T 5296
《钢结构、管道涂装技术规程》YB/T 9256

中华人民共和国国家标准

炼钢工程设计规范

GB 50439-2015

条文说明

修订说明

《炼钢工艺设计规范》GB 50439—2008,经住房城乡建设部2008年1月14日以第784号公告批准发布。

本规范是在《炼钢工艺设计规范》GB 50439—2008的基础上修订而成。上一版的主编单位是中冶京诚工程技术有限公司,参编单位是中冶赛迪工程技术股份有限公司、中冶南方工程技术有限公司、中冶华天工程技术有限公司、中冶东方工程技术有限公司、上海宝钢工程技术有限公司、鞍钢集团设计研究院。主要起草人员是宋华德、张温永、戈义彬、杨宁川、洪保仪等。本次修订的主要内容是:1.将炼钢工艺设计扩展至炼钢工程设计范畴,整体换版,增加了工艺以外的主体设备、公辅设施、环保安全节能等内容;2.删减已过时或落后的工艺技术设备;3.修改上一版中的错误。

本规范修订过程中,编制组进行了国内炼钢生产现状、近几年炼钢生产新工艺、新技术、新设备的应用以及国家钢铁产业政策变化等多方面的调查研究,总结了我国钢铁工程建设的实践经验。以国家技术政策为导向,突出体现钢铁行业建设发展要以高效、低耗、节能、绿色、高质、循环、环保为原则,同时参考了国外钢铁领域先进技术发展经验。通过收集筛选国内外钢铁生产先进经验数值,取得了本规范内的重要技术参数。

近年来,我国炼钢技术的发展突飞猛进,炼钢装备技术和操作水平有了比较大的提升,节能降耗技术广泛应用,产品质量大幅度提高。与之相适应的是我国炼钢工程的设计水平也在不断进步。在积极消化吸收国外先进技术和设备的基础上,通过自主研发创新,开发和应用了铁钢界面技术、铁水预处理技术、转炉副枪自动化炼钢技术、一次烟气干法除尘技术、超高功率大电炉炼钢技术、电炉热装铁水技术、电炉烟气余热回收技术等一批具有自主知识产权的新技术。为修编本规范提供了坚实基础。

本规范的修编严格贯彻执行国家有关法律、法规和技术政策,对规范中涉及生产安全(包括人身、财产安全)、环境保护、公众健康和公共利益的条文进行了认真修订。

为便于广大设计、施工、科研、学校等单位有关人员在使用本规范时能正确理解和执行条文规定。《炼钢工程设计规范》编制组按章、节、条顺序编制了本规范的条文说明。对条文规定的目的、依据以及执行中需注意的有关事项进行了说明,还着重对强制性条文的强制性理由作了解释。但是,本条文说明不具备与规范正文同等的法律效力,仅供使用者作为理解和把握规范规定的参考。

目 次

1 总 则 …………………………………………… (105)
2 术 语 …………………………………………… (106)
4 铁水预处理 …………………………………… (107)
 4.1 工艺设计 ………………………………… (107)
 4.2 粉剂 ……………………………………… (108)
 4.3 工艺设备 ………………………………… (108)
 4.4 工艺布置 ………………………………… (109)
5 转炉炼钢 ……………………………………… (110)
 5.1 总体工艺设计 …………………………… (110)
 5.2 原材料准备及供应 ……………………… (111)
 5.3 工艺设备 ………………………………… (112)
6 电炉炼钢 ……………………………………… (113)
 6.1 工艺设计 ………………………………… (113)
 6.2 原材料准备及供应 ……………………… (114)
 6.3 工艺设备 ………………………………… (115)
 6.4 电炉车间布置与厂房 …………………… (118)
7 炉外精炼 ……………………………………… (119)
 7.1 工艺设计 ………………………………… (119)
 7.2 原材料准备及供应 ……………………… (122)
 7.3 工艺设备 ………………………………… (122)
8 炉渣处理 ……………………………………… (123)
 8.1 总体工艺设计 …………………………… (123)
9 机修与检化验 ………………………………… (124)
 9.2 检化验 …………………………………… (124)

10 电　　力	(125)
10.1 负荷分级及供电电源	(125)
10.2 供配电系统	(126)
10.3 无功补偿及电能质量	(127)
10.4 变(配)电所及电气室	(128)
10.5 供配电及传动设备	(128)
11 仪　　表	(130)
11.1 仪表选型设计	(130)
11.2 检测控制项目	(130)
12 电　　信	(132)
13 自动化控制与信息化	(134)
13.1 一般规定	(134)
13.2 基础自动化	(134)
13.3 过程控制	(136)
14 给水排水	(138)
14.1 一般规定	(138)
14.2 炼钢工艺用水水质及用水条件	(138)
14.3 供水系统	(138)
14.4 水处理设施	(138)
14.5 安全供水	(139)
14.6 水质稳定	(140)
14.7 补充水	(140)
14.8 水质分析及监测	(140)
17 燃　　气	(141)
17.2 转炉煤气净化回收系统	(141)
17.3 燃气介质阀站和管网	(142)
18 建筑与结构	(143)
18.1 一般规定	(143)
18.2 主厂房	(143)

18.3	设备基础	(143)
18.4	工艺平台	(144)
19	**总图运输**	**(145)**
19.1	厂址选择	(145)
19.2	厂区平面布置	(145)
19.3	运输	(146)
20	**安全与环保**	**(147)**
20.1	安全	(147)
20.2	消防	(148)
20.3	环境保护与综合利用	(148)
22	**工程与技术经济**	**(150)**
22.1	工程经济	(150)

1 总　　则

1.0.2 新建的转炉、电炉炼钢车间,条件允许其完全按本规范的要求进行设计,而旧有炼钢车间的改建则因实际条件限制,难以完全执行本规范,故应注意结合实际条件,凡条件允许的都应按本规范执行。

1.0.3 炼钢工程设计除本规范规定的内容以外,还将涉及许多其他标准与规范,如有关环保、安全、防火、节能等国家标准与规范,炼钢工程设计都必须遵循,由于相关标准与规范众多,不便一一列出,而且有些国家标准(如节能设计规范等)正在修订之中,故本条文仅作原则性规定。

2 术　　语

2.0.2 VD与RH都是钢液真空处理装置,处理效果基本相同,但VD法设备简单、投资费用低、建设时间短、生产操作与维修简单,故VD在炼钢工程中得到广泛应用。

2.0.4、2.0.5 CAS-OB法开发初期主要用以作为钢水在钢包内加铝氧化升温的一种手段,但铝氧化后的生成物Al_2O_3是钢内的有害夹杂,严重污染了钢水,尤其会造成连铸时浇注水口堵塞,因而,该法目前已很少用于吹氧升温,仅用于均匀钢水成分与温度和调整钢水成分,叫CAS法。

2.0.8 LF是常压下在钢包内用氩气搅拌钢水的同时,用电弧加热并精炼钢水,由于设备简单、投资费用低、建设时间短、生产操作与设备维护简便,故在炼钢工程中得到广泛应用。

4 铁水预处理

4.1 工 艺 设 计

4.1.1 选择铁水预脱硫方法与脱硫粉剂时,应综合考虑生产成本、铁水条件与脱硫深度要求及与转炉冶炼时间的匹配关系等因素。机械搅拌法与喷吹石灰粉成本低,但铁水温度损失大、处理时间长。单吹镁脱硫效率高、处理时间短、温度损失小,但原料成本高。

铁水脱硫预处理的脱硫效率高,鉴于大方坯与板坯连铸机要求浇注钢水的硫含量不高于 0.015%,故以此作为脱硫预处理后铁水硫含量的上限值。超低硫钢种硫含量的上限为 0.005%,故以此作为用于该钢种的脱硫预处理后铁水硫含量的上限值。

4.1.2 转炉兑铁水包的形状与混铁车的鱼雷罐比较,喷粉枪插入铁水更深,脱硫粉剂在铁水内移动路程更长,脱硫反应进行得更充分,因而更适合于铁水预处理的反应。与高炉铁水包比较,其没有高炉铁水包的罐口凝铁粘渣现象,铁水面上的高炉渣也少,因而更便于操作管理,故应优先选用。

4.1.3 磷虽在转炉冶炼前易于氧化去除,但在冶炼后期的高温阶段,炉渣内的 P_2O_5 易被还原回入钢水,即出现回磷现象,因而铁水磷高于 0.12%,或生产超低磷钢时,铁水须进行预脱磷处理。

转炉炉内预脱磷效果好,而且比炉外预脱磷对环境污染少、铁损低。鉴于转炉平均炉龄已达 5000 炉以上,利用炉役后期进行铁水炉内预脱磷处理是合适的,故确定转炉容量与座数时宜兼顾铁水预脱磷要求。建设专用预脱磷转炉,虽然条件好,但投资与占地面积增加较多,可根据产品大纲来选择。

4.1.5 铁水预脱磷时,若铁水硅含量高于 0.20%,因硅氧化使铁水温度上升过多,会引起脱磷反应的困难,同时造成炉渣碱度降低和渣量过大,扒渣的难度增加,作业时间延长,故铁水硅含量高于0.20%,应先对铁水进行脱硅预处理。

4.1.6 铁水三脱预处理,每一步处理后,都必须将该步的预处理渣扒除,三种处理的工位可以分开设置,也可以在同一工位中依次进行,即采用联合处理方式。联合方式的最大优点是节省了上下工序之间铁水包的调运次数与时间,同时减少了占地面积与设备,节约了投资。

4.2 粉 剂

4.2.1 所列脱硫粉剂为目前普遍使用的粉剂。石灰粉价格便宜,脱硫后不易发生回硫现象,但用量较大,铁水温度损失也大,而镁粉脱硫效率高、用量小、铁水温度损失低,但镁粉价格高,而且单吹镁时,因为渣量太少,易发生回硫现象,故实际生产中往往根据具体情况灵活使用两种粉剂。

4.2.3 钠系粉剂在使用中会逸散出大量具有强腐蚀性的 Na_2O 等粉尘,对作业人员健康与周围物体造成严重损害,故应禁止采用。

4.2.4 CaC_2 虽脱硫效果较好,但易发生爆炸事故,要求在生产、运输、贮存各环节必须采取严格的安全防护措施。目前采用的钝化镁粉,不仅脱硫效率高,而且安全可靠,故不宜再用 CaC_2 作脱硫剂。

4.3 工 艺 设 备

4.3.5 贮存仓采用气力输送进料时,会受到输粉气流压力的冲击,故贮存仓应按不小于2kPa工作压力设计。

4.3.7 料重采用减量法显示,即显示的不是发送罐中存留的粉料重量,而是喷入铁水的粉料重量(即发送罐中减少的粉料量)。减法显示值(kg)除以时间(min)即为供粉速度(kg/min)。

4.4 工 艺 布 置

4.4.4 同工位方式是铁水处理(喷吹或搅拌)作业和扒渣作业在同一位置进行,有1台铁水包车与1台扒渣机,铁水包车轨道一般垂直于厂房跨间柱列线;不同工位方式是1个处理作业位在中间,2个扒渣作业位分别布置在两侧,有2台铁水包车和2台扒渣机,铁水包车轨道一般平行于厂房跨间柱列线。实际工程设计中选用何种布置方式,应根据车间条件、铁水预处理能力要求来选择。后一种方式由于2个扒渣工位与处理工位分开设置,两罐铁水可以轮换作业,从而缩短处理时间,可适应处理量大、快节奏的生产要求。

5 转炉炼钢

5.1 总体工艺设计

5.1.2 根据实际生产经验,在转炉炼钢车间工程设计中,转炉的工作制度通常按"二吹二"或"三吹三"设计。为降低投资、减少占地面积、简化生产管理、提高生产效率,在满足产量要求的前提下,应选用较大的炉容量和较少的炉座数,车间内转炉座数过多、日产炉数过高,对生产组织与调度作业带来困难,增加耽误与相互干扰,以致生产效率降低,影响技术经济指标。故车间内转炉座数不宜大于4座。

5.1.3 我国转炉钢厂常习惯于转炉超装操作,有的出钢量超过公称容量的50%,这既加速了设备的损坏,破坏了相关系统与装备的协调关系,又造成技术经济指标的恶化,极不合理。故规定转炉公称容量为其平均出钢量,最大出钢量为公称容量的1.05倍~1.1倍,并推荐转炉采用定量法操作。因为定量法操作有利于车间内各工序稳定地运行,有利于保护设备,有利于提高工效。

5.1.4 目前工程设计中,炼钢炉年生产能力的计算有两种方法:一种是传统的计算方法,按年有效作业天数计算,即本条文规定的方法;另一种是按平均日产钢炉数计算的方法。这两种方法实际上没有本质上的不同,只是对炼钢炉的实际工作时间的表达方式不同而已,但前一种方法更能反映出炼钢生产各相关主辅系统的配合要求,尤其是对各生产部门与工序最大生产能力的配合要求,后一种方法在这方面显然有所不足,故本规范采用传统计算方法。

年有效作业天数,当炼钢炉与单台连铸机配合时,由于炼钢炉本身的作业率往往高于连铸机的作业率,这时连铸成了车间产量的决定因素,炼钢炉的作业将因连铸造成耽误,故炼钢炉的有效作业天数将与连铸一致。当炼钢炉与多台连铸机或部分连铸(即带有模铸)配合时,炼钢炉的有效作业天数可按年日历天数扣除各项非生产天数计算。

5.1.6 凡需通过炉渣回收有用元素时,设计中应对炉渣的富集与处理作出妥善安排,如冶炼高磷铁水(或对高磷铁水进行预脱磷处理)时,应对 P_2O_5 含量高的炉渣与普通炉渣分类堆存与处理,以便将高磷炉渣回收作为生产磷肥的原料。

5.1.7 转炉烟气中含有较多的氧化铁粉尘,散状料系统的各转运点会外溢石灰等粉尘,都会严重污染环境,必须予以收集净化处理,净化后排放废气的含尘量应符合国家标准的规定。

转炉一次烟尘除尘系统与煤气回收系统具有爆炸与中毒的危险,设计必须采取相应安全措施,如设置废气成分连续检测与控制设施、现场设置危险警示牌等。

5.1.10 新的转炉工序能耗标准正在拟订中,国内目前大、中型转炉车间已可实现负能炼钢。实现负能炼钢的关键就是回收利用转炉煤气(吨钢回收煤气 $80Nm^3 \sim 110Nm^3$)与余热蒸汽(吨钢回收不小于 80kg)。

5.2 原材料准备及供应

5.2.1 我国转炉炼钢车间采用混铁车运送铁水较少,因为混铁车使用成本太高,故目前大多数新建转炉车间采用了铁水包一包到底的运输方式。这种方式工序简化、能耗降低、对环境污染小、投资与运行成本最少,故应大力提倡,宜优先采用。

5.2.5 如果入炉废钢内混入爆炸物、密闭容器,在炼钢高温条件下,爆炸物或封闭容器均可能发生爆炸。会直接酿成转炉、电炉爆炸事故,造成重大人身伤亡与设备严重破坏。本条为强制性条文,必须严格执行。

5.2.7 以往中小型转炉钢厂,废钢配料作业一般在加料跨废钢区进行。因面积小,废钢贮存量太少,难以适应高效生产的要求。新建转炉容量不小于120t,单炉年产合格钢水150万t~200万t,故宜设置单独的废钢配料间,但其面积(即废钢贮存量)可视总图布置条件确定。

5.3 工艺设备

5.3.1 根据当前国家钢铁产业发展政策的规定,我国新建转炉要求容量不小于120t。系列中仍保留120t以下的容量级是因为我国还有相当数量的中小型转炉,需要通过技术改造和优化组合逐步向大型转炉发展,同时还考虑到国际市场上仍有中小型转炉的需要,故予以保留。

5.3.8 容量不大于200t的转炉倾动力矩按全正力矩设计,是为了保证操作安全。容量200t及以上转炉的倾动力矩按正负力矩设计是从节能角度考虑,其力矩曲线的特点是新炉为全正力矩,老炉为微负力矩,老炉炉口结渣时为全负力矩,设计应考虑事故驱动,其操作安全性由事故电源或蓄电池组来保证,以便断电情况下能强制低速复位。

5.3.9 转炉渣为氧化渣,对后步炉外精炼有害,从三位一体基本工艺路线的要求考虑,为保证炉外精炼的冶金效果,转炉必须采取挡渣出钢的技术措施。

5.3.13 转炉底吹气源目前一般为氮气与氩气,增加氧气或压缩空气,将有利于提高脱碳速度,避免底吹喷口堵塞,应予提倡。

5.3.15 铁水、钢水或液渣均是高温液体,采用铸造起重机安全系数高。国内有的炼钢厂采用高一级普通桥式起重机吊运铁水、钢水或液渣,这是违反安全规程的,易酿成重大的人身安全事故。我国一些炼钢厂曾有过惨痛的教训,必须坚决制止与纠正。本条为强制性条文,必须严格执行。

5.3.16 当前炼钢工程设计中,浇注用的铸造起重机的规格有越来越大的倾向,这是不适当的,应按本条文规定正确选配铸造起重机。

6 电炉炼钢

6.1 工艺设计

6.1.1 超高功率电炉技术是以高效、低耗、节能、环保为特点的当代电炉炼钢技术。超高功率电炉技术的核心内容包括三个方面：首先，电炉本身装备方面，变压器单位功率水平必须不低于 600kV·A/t 钢水，电炉必须采用管式水冷炉壁与炉盖，采用偏心炉底出钢与铜钢复合或铝合金导电横臂；其次，电炉的配套装备方面，必须采用超音速射流氧枪与喷碳装置，采用仪电一体化的基础自动化与计算机过程控制结合的控制技术，采用一、二次烟尘联合收集净化技术，采用炉盖与钢包机械化加料系统，选用高阻抗供电、废气预热废钢、炉气一氧化碳后燃烧等节能技术，采用机械化补炉、修炉技术；第三，在冶炼操作技术方面，必须采用留钢留渣法和泡沫渣埋弧冶炼操作法。

本条文中所列各项配套技术中，除偏心炉底出钢技术、炉壁集束射流氧枪技术、静止型动态无功补偿装置、电炉余热回收利用技术可根据具体情况选择外，其余各项新建电炉均应采用。

6.1.4 带废钢预热技术的电炉和采用铁水热装工艺时，因吨钢电耗较低，故变压器功率水平可偏低些，如 Consteel 电炉与竖炉，其变压器容量按 550kV·A/t～700kV·A/t 选配即可。对于全废钢冶炼的电炉，其变压器功率水平可偏上限进行选配。大容量变压器可大幅缩短冶炼周期，电炉的冶炼周期越短其热损失越低，热效率越高，其节能效果更明显，现在国际上已经出现了变压器功率水平达到 1200kV·A/t 的电炉。

当代电炉已成为熔化固体炉料（废钢、生铁、直接还原铁、碳化铁等）和去磷脱碳的简单工具，钢水的精炼任务完全由炉外精炼装置承担,因而电炉后步必须配置钢包精炼炉(LF),对于生产气体含量和夹杂物含量要求低的钢种还应配置 VD 等真空精炼装置。当电炉冶炼时间短于 45min,或生产品种中低氧含量(≤20ppm)或低硫含量(≤30ppm)钢种的比例较高时,1 台电炉后面还须配置多台钢包精炼炉。

交流高阻抗供电技术是在交流电炉变压器的一次侧串联一个固定电抗器或一个饱和电抗器,其结果是二次电压提高、电弧加长、二次电流降低、电弧的稳定性与对熔池钢水的穿透力与搅动力提高,这些变化使电炉热效率提高、冶炼时间缩短、电耗与电极消耗降低,设备与操作维护都比直流电炉简单,电极消耗指标接近直流电炉。

废气预热废钢,回收废气中的物理热与化学能,可减少炉盖打开次数、缩短冶炼周期,约降低吨钢电耗 50kW·h/t～100kW·h/t,是实际生产中重要的烟气余热回收技术。

6.1.8 电炉在冶炼过程中的起弧、熔化废钢或其他固态原料阶段噪声非常大,因此应采取隔音措施。本条为强制性条文,必须严格执行。

6.1.9 电炉炼钢的工序能耗代表了电炉炼钢的炼钢水平,不符合国家现行有关标准的,不符合国家提倡节能减排的要求,应予以淘汰。

6.1.12 由于现代电炉技术发展迅速,与 20 世纪比较,电炉的工序能耗已大大降低。影响电炉能耗的主要因素是原料条件与电炉形式。目前,新的电炉工序能耗国家标准已修订完成。

6.2 原材料准备及供应

6.2.6 电炉炼钢采用直接还原铁作原料时,直接还原铁的质量应符合现行行业标准《炼钢用直接还原铁》YB/T 4170—2008 中二级指标的要求。

6.2.7 铁水热装技术是在我国发展起来的电炉炼钢技术,适当的生铁或铁水比,可提高炉料的化学能,有利于降低电耗,但若比例过高,脱碳所需要的时间增加,以致冶炼时间延长,指标反而恶化,铁水比以 30%～60% 为宜,否则其吨钢生产成本将不降反增。

6.2.8 电炉冶炼工艺是以废钢为主要原料,有些企业热装部分铁水,是为消化本企业长流程生产线富余的铁水,利用铁水热量降低电炉电耗的一项技术措施。

若为电炉铁水热装配建专用高炉,则违背科学合理的生产工艺路线和投入产出的规律,得不偿失。国家钢铁产业政策已明确反对这种做法,故设计应予禁止。

6.2.10 石灰成分按现行黑色冶金行业标准《冶金石灰》YB/T 042—2004 中普通冶金石灰一级指标要求。

6.3 工 艺 设 备

6.3.1 容量过小的电弧炉不仅生产率小、技术经济指标很难与精炼、连铸、连轧设备的配套,因此扩大炉容量是提高和改善短流程生产线整体效率的有效手段。适当扩大电弧炉容量不仅提高了炉子的生产效率,也使吨钢的平均设备投资大大降低,吨钢的生产成本下降,而且大大减少炉子热损失和能量消耗,提高电弧炉热效率,可以起到节能减排的功效,这一点已被大量的生产实践所证明。所以世界上许多国家采用大容量电弧炉。同时电弧炉容量随着短流程炼钢的生产规模也在不断扩大。

20 世纪 30 年代电弧炉的最大容量为 100t,50 年代为 200t,70 年代初已有 400t 的电弧炉投入生产。新建电弧炉钢厂电弧炉容量由 80t～120t 增至 150t～200t,近年来还增建了若干 250t～300t 电弧炉的短流程钢厂。目前全世界 180t 以上的电弧炉有 30 座以上,其中最大的为 400t,我国电弧炉容量目前最大为 220t。

20 世纪 90 年代以前,我国电弧炉炼钢工艺是以冶炼合金钢为主而发展的,在电弧炉装备方面一般炉容量小于 50t。从 20 世纪 90 年代起,大容量、超高功率电弧炉在我国获得了较快发展,数量逐渐上升,炉容趋向大型化,淘汰落后电弧炉工艺装备和设备大型化方面已取得较大进步。从1990年至1999年我国建设60t～150t电弧炉19座。从2000年至2012年,全国新建50t以上电弧炉共68座,其中100t以上的电弧炉26座。据不完全统计,到目前为止全国投入运行50t以上电弧炉约107座,其中单炉出钢量100t以上的36座。其中100t级电弧炉实现了国产化的5座,达到了国产化电弧炉的最大容量。

20世纪后期,我国大量容量30t以下的小电炉被淘汰,电炉的容量组成已明显向大型化方向发展。

参考国际电炉炼钢的发展趋势,随着废钢的不断积累和电力资源的不断改善,我国完全有可能建设200t以上容量级的大电炉,故电炉容量系列中增加了200t～350t级电炉。

根据钢铁产业发展政策规定,新建炼钢厂电炉容量应不小于70t,但考虑到我国目前还有相当数量的小电炉,还需要相当长的时间通过技术改造和优化组合,才能逐步向大型电炉转化,对于某些特钢厂,为满足小批量生产的市场需要,配置少数容量较小的电炉是合理的,此外,还考虑到国际市场的需要,因而系列中保留了20t,30t,50t容量级。

6.3.2 表6.3.2中数据仅供电炉选型时参考。确定变压器额定容量时,应根据冶炼时间要求、原料结构、电炉的形式、辅助能源与电能的匹配关系等进行计算。当采用直接还原铁时,变压器容量宜偏高,当采用铁水热装工艺或带废气预热废钢技术时,变压器容量可适当偏低。

6.3.3 全平台式电炉与半平台式电炉比较,结构更为简单紧凑,设备重量轻。倾动机械失灵时,电炉能自动从任意位置回复原始位置,是确保安全的基本要求,关键在于通过重心计算和电炉倾动计算正确确定倾动中心线的位置。

6.3.7 电极升降机械由水冷电极夹持器、水冷铜钢复合(或铝合金)导电横臂、电极立柱与导向轮组、液压缸及其支撑结构组成。二次侧短网为从变压器二次侧抽头开始,依次由补偿器、水冷导电铜管、水冷电缆、水冷铜钢复合导电横臂和水冷电极夹持器组成。短网各组元的断面积与相邻部件的接触面积的合理选择,三相短网的长度与其在空间布置的相互关系,是决定短网阻抗和工作可靠性的主要因素。而三相短网在空间的位置,它们在电流变化时相互引起的感抗,是造成三相阻抗不平衡的主要原因,三相短网在任意空间位置上,保持等腰(或等边)三角形关系,就可使三相阻抗不平衡系数不大于5%。

6.3.8 水-乙二醇为非燃物质,且不易老化,使用安全可靠。为保证电炉液压系统工作的可靠性,选用液压泵的工作参数(工作压力与油量)应留有适当余地,一般配置1台备用液压泵。除电极升降采用比例阀(也可以用伺服阀)外,其余均采用电磁换向阀并以集成块形式安装于公用的阀台上。液压系统还应考虑一定容积的蓄势器,以保证系统的背压与停电事故状态工作要求。

6.3.9 现代电炉采用氧气加速废钢熔化,作为去磷脱碳的氧化剂,用以制造泡沫渣与实现炉气中 CO 后燃烧以降低电耗,因而,氧气的用量达到 $30Nm^3/t\sim 40Nm^3/t$,供氧强度达到 $1.5Nm^3/(t\cdot min)\sim 2.0Nm^3/(t\cdot min)$,故生产普碳钢电炉必须配置适当数量与规格的炉壁水冷集束射流氧枪与碳枪(包括碳粉贮仓与发送装置),或(与)炉门水冷碳氧喷枪机械手(包括碳粉贮仓与发送装置)。前一种方式吹氧,不必开启炉门,有利于提高电炉热效率,故近几年来得到广泛应用。

6.3.10 高位贮存仓数量12个以上,以便满足合金的不同种类和品位的数量要求。因一般大夜班停止高位贮存仓的上料作业,故贮存时间应大于16h。活性石灰因用量大,而且不宜因存放时间太长而吸收水分,故料仓容积8h以上即可,在中班末期加满料即可满足大夜班生产的需要。

6.3.12 当前炼钢工程设计中,浇注用的铸造起重机的规格有越来越大的倾向,这是不适当的,应按本条文规定正确选配铸造起重机。

6.4 电炉车间布置与厂房

6.4.1 本条文所列电炉炼钢车间主厂房三种布置形式,是对现有超高功率电炉炼钢车间主厂房实际布置形式的归纳,生产实践证明都是可行的,但以多跨毗连的布置形式为优,因这种形式车间内物流干扰少,便于各工序充分发挥其效能,能较好地适应超高功率电炉炼钢车间高效生产的要求,且为远期发展留有条件。

主厂房采用多跨毗连布置形式时,电炉在炉子跨内采用横向布置方式。只有当车间内为单座电炉,炉子跨垂直于精炼与钢包转运跨及浇注系统各跨或电炉与炉外精炼采用同跨布置时,才采用电炉在跨间内纵向布置方式。电炉横向布置时,电炉的纵向中心线与加料跨厂房柱行列线的最小距离,应保证能用起重机顺利地吊换电极,电炉的横向中心线至变压器室外墙的距离,应满足电炉设备设计尺寸要求,在工艺布置上应校核炉盖旋转时导电横臂尾部与变压器室墙上电缆架的关系,以免碰撞。电炉在炉子跨中平面位置的确定,还需要综合考虑装料、吊换炉壳、出钢、变压器检修吊装及电炉密闭罩的布置等因素。

炉容量小于50t的电炉车间一般不设加料跨,可在炉旁设简易的炉盖加料系统。容量不小于50t电炉车间应设置加料跨。加料跨散状料贮存的进料方式,在以全废钢法冶炼时,一般可采用起重机吊底开料罐进料的方式,当一部分大于或等于20%冷态直接还原铁为炉料时宜通过皮带或其他专用运输系统送往电炉加料处,容量不小于100t且小时生产率很高的电炉车间,也可采用皮带运输机的进料方式。

6.4.4 车间内电炉容量不同,与其相关的工艺装备,如钢包、炉外精炼装置等均需采取不同规格,导致设备与备件数量大大增加,生产管理与调度作业大大复杂,生产效率受到影响,故不宜采用。

车间内装备1座以上相同容量电炉时,电炉与变压器采取同侧布置的形式,可大大节省设计、建设与设备维修的工作量。

7 炉外精炼

7.1 工艺设计

7.1.1 当代炼钢生产根据优化工艺需要和钢种质量要求,广泛采用以下典型的炉外精炼选型组合:

(1)转炉炼钢车间(铁水必须经预脱硫处理)。

普碳钢均匀成分与温度、调整成分:吹氩搅拌、CAS 或 LF 法处理;

大量生产超低碳钢品种:转炉+LF+RH-TB+喂丝*;

生产不锈钢:

产量较大,无 0.03%C 以下超低碳品种:转炉+AOD(或复吹转炉)+LF+喂丝*;

产量不大,有 0.03%C 以下超低碳品种:转炉+LF+VOD+喂丝*;

50 万 t/a 以上,生产各品种的专业性不锈钢厂:转炉+AOD(或复吹转炉)+LF+VOD+喂丝*;

生产其他品种:转炉+LF+RH(或 VD)+喂丝*。

(2)电炉炼钢车间。

生产不锈钢:

产量较大,无 0.03%C 以下超低碳品种:电炉+AOD(或复吹转炉)+LF+喂丝*;

产量不大,有 0.03%C 以下超低碳品种:电炉+LF+VOD+喂丝*;

50 万 t/a 以上,生产各品种的专业性不锈钢厂:电炉+AOD(或复吹转炉)+LF+VOD+喂丝*;

生产其他品种:电炉+LF+VD+喂丝*。

上述生产不锈钢的工艺流程,也可以用来生产管线钢、硅钢等低碳与超低碳钢。

注:喂丝*一般与 LF、VD、VOD、RH、RH－TB 组合。

以上炉外精炼各种典型组合模式中都有 LF,这在电炉炼钢厂早已普及,在转炉连车间也广泛应用,这是因为 LF 不仅是生产低硫低氧洁净钢的重要设备,而且在优化初炼炉到连铸的整个工艺中起着更为重要的作用,它改善连铸钢水的质量,使连铸的工艺条件稳定,并在初炼炉与连铸之间起缓冲协调作用,有利于组织多炉连浇。但应该注意 LF 在精炼低硫和低氧钢时,需要造还原渣与较高的钢水温度,因而作业时间较长(可能达 60min/炉～70min/炉),往往会超过初炼炉的冶炼时间,此时每台初炼炉后需要配置多台 LF。对于电炉车间而言,LF 已成为必须配置,并且很多时候 1 座电炉后续须配 2 台 LF。这是因为 LF 替代了电炉原还原期,使电炉冶炼由"老三期"减少为"两期"冶炼,大幅缩短了电炉冶炼周期,提高了生产效率。

喂丝设备一般与炉外精炼设备组合配置。但在双钢包车式 LF 配置喂丝设备时,须注意喂丝作业不应占用加热工位的时间,否则,双钢包车方案的优点将被抵消。

7.1.3 根据实践经验,VD、LF 的容量一般不宜小于 30t,小于 30t 时,因钢包温度降太大,影响取得理想的冶金效果。RH、RH－TB 的容量推荐不小于 50t,小于 50t 时,因钢包上口内直径太小,真空室的环流管(吸嘴)插入钢包较困难。

由于各种炉外精炼装置对钢水面以上的自由空间高度有一定要求,故实际处理量应在满足自由空间的前提下,在合理的范围内波动。

7.1.4 根据基本工艺路线的要求,设计应对炼钢车间的精炼钢比有明确要求,从而对每一种炉外精炼装置的产量和流程组合都有明确规定,在明确其任务时,不仅考虑不同钢种的质量要求,更要考虑总体工艺优化的需要,以取得最佳的技术经济指标和效益。

炉外精炼的精炼周期,取决于精炼装置的形式与精炼工艺等许多因素,应用最多的几种炉外精炼装置的精炼周期推荐值如下:

LF　　　　　　30min～60min;

VD、RH　　　 30min～50min;

VOD　　　　　60min～100min(取决于钢水初始含碳量);

RH－KB　　　30min～50min(取决于钢水初始含碳量);

AOD　　　　　50min～70min(取决于钢水初始含碳量)。

上述精炼周期均指单工位形式的精炼装置,若LF采用双钢包车移动形式,VD、VOD采用双真空罐、真空罐盖车移动形式,则喂丝与吊包的时间可排除于LF与VD、VOD的精炼周期之外。

RH、RH－KB的精炼周期系指单处理工位的装置,若RH、RH－TB采用双处理工位形式,则其精炼周期可以缩短20min～30min(可将非真空作业时间排除于精炼周期之外)。

此外,在同样初始碳含量下,RH－TB的脱碳时间可比VOD少30%～50%。

7.1.8 出于安全考虑,并且在发生漏钢事故后,便于清理漏出钢水的凝结物。本条为强制性条文,必须严格执行。

7.1.9 防止水封池中的有毒废气泄漏至厂房内,危害人身安全。本条为强制性条文,必须严格执行。

7.1.10 VOD、RH－TB等真空吹氧脱碳精炼装置,因为废气中含有较高比例的CO,存在爆炸危险,为此,应采用氮气稀释法破坏真空,但因氮气有较高的压力,充压过高同样会造成安全事故,故破坏真空系统必须设置自动与大气压平衡的措施。VD装置虽不吹氧脱碳,但当采用VCD(真空碳脱氧)工艺时,废气中也有一定量的CO,有些用户为确保安全,也采用氮气破坏真空,若采用空气破坏真空,应将充气点靠近真空罐,或直接设在真空罐盖上,可将含CO的废气迅速赶往低温的真空泵一端,可大大减少爆炸危险。

7.2 原材料准备及供应

7.2.2 石灰成分按现行行业标准《冶金石灰》YB/T 042—2004中普通冶金石灰一级指标要求。

7.3 工 艺 设 备

7.3.1 本条文中 D/H（直径/高度）和钢液面以上自由空间高度的数值均指新钢包。

7.3.2 LF变压器吨钢单位功率水平是影响加热效率的关键因素,由于钢包内钢水的温度降与钢包的容量存在相反的线性关系,故小容量LF的吨钢单位功率应选配得要高些,但功率负荷大小,同时又受钢包直径的限制,小容量钢包内壁表面距电极近,受电弧作用的耐火材料侵蚀指数高,钢包衬砖寿命大大降低,因而,需综合上述因素合理选配,或参考已有成熟设备的参数确定。

8 炉渣处理

8.1 总体工艺设计

8.1.6 液渣是高温液体,采用铸造起重机安全系数高。本条为强制性条文,必须严格执行。

8.1.7 炉渣二次加工过程会产生大量粉尘,因此必须配置粉尘净化设施,净化后的烟气含尘量必须达到排放标准。本条为强制性条文,必须严格执行。

9 机修与检化验

9.2 检 化 验

9.2.2 投资比较宽松的情况下,炉前快速分析室可作为首选,它可大大减低人为因素,自动快速出结果。

9.2.6 检化验工艺设备的配置首先满足必检项目的要求,其参考检化验项目可外协解决,无法外协时宜按最少的数量配置检化验设备。

10 电 力

10.1 负荷分级及供电电源

10.1.1 根据现行国家标准《供配电系统设计规范》GB 50052 中关于负荷分级的规定,炼钢系统在钢铁企业中属于中上游的环节,如果其生产受到影响,对其上下游生产流程都会产生影响,直接影响企业的产量和效益,所以炼钢系统生产设施负荷应定为二级负荷。其中个别重要设备主要是指转炉倾动、氧(副)枪升降、消防水泵等设备,其故障会造成设备报废或人身伤亡事故等需按一级负荷考虑。

10.1.2 炼钢系统动力负荷的供电线路在这里一般是指为炼钢系统各 10kV 系统、炼钢系统 380V 低压动力中心 PCC、炼钢系统中较为重要的 MCC 等的供电电源。

10.1.3 考虑供电经济性,一般中小规模的炼钢系统应采用 10kV 供电,但现有的钢铁企业仍存在 6kV 系统,在这种情况下为不增加投资也可采用 6kV 供电。对应大规模的炼钢厂,用电负荷较大,采用 10kV 供电比较困难时,可在炼钢区域建区域总降变电所,采用 110/10kV 或 35/10kV 的变压器再配电的形式为炼钢各系统供电。

10.1.4 新建的电弧炉及钢包精炉的负荷都比较大,采用 35kV 供电比较经济。

10.1.5 对于电弧炉及钢包精炼炉也可采用 AC220V 操作电源。AC220V 控制电源采用隔离变压器可将控制电源与供电网络隔离,防止信号干扰,发生误动作。

10.1.6 基础自动化和过程计算机设备是炼钢系统控制的核心,即使在供电中断时,应保证这些设备为操作维护人员提供生产、设备等相关的重要信息和进行相应的操作,使操作人员和维护人员进行必要的故障处理,以免发生设备损失及人身伤害。

10.1.7 氧枪是转炉炼钢及一些精炼系统中的重要设备,在冶炼过程中,其中通以氧气、冷却水等,当生产过程中发生故障时,其与高温钢水接触极有可能发生烧毁氧枪,冷却水与钢水接触会发生爆炸、喷溅等危险。因此保证氧枪在发生事故时能够快速地提升到安全位置就很重要。从机械设备上看,有的氧枪专门配有事故提升机构,该机构可能是电动机驱动,也可能是气动马达驱动;有的氧枪没有设置专门的事故提升机构。不论是哪种情况,氧枪的传动的电源都应考虑当正常电源故障时,应有专门的事故电源为氧枪的事故提升机构供电,该电源应具备如下特点:在得到"事故提升"指令后保证立刻投入运行并具备一定的起动过载能力、电池的后备时间应能保证将氧枪以合适的速度提升到安全位置。

10.2 供配电系统

10.2.2 炼钢系统除炼钢车间外,还包括煤气回收系统、各种通风除尘系统、水处理系统、其他辅助生产设施等,这些设施位置根据总图位置不同都比较分散,根据配电系统应按负荷就近设置的原则,可将炼钢区域10kV配电系统根据负荷的分布,分成若干个系统,靠近负荷中心就近设置。从而满足节能降耗和经济性的要求。

10.2.4 炼钢车间吊车负荷为反复短时的冲击性负荷,在吊车起动的瞬间,电流很大,对供电系统的冲击也很大,同时也可能对在同一供电系统下的其他负荷产生不利的影响,所以大型车间的吊车最好设置专用的变压器,且变压器宜采用适合频繁短时冲击性负荷的特殊的变压器。

随着炼钢车间的大型化,吊车设备的起重吨位也随着加大,且吊车的数量也相应增多。在这种情况下,吊车的负荷也很大。采用3kV供电可以大大地减少供电线路和滑线上的电流,从而减少了供电电缆的截面和数量以及滑线的截面,节约线路安装的投资的同时也减小线路上的压降,保证吊车可靠运行。相比较380V供电而言,采用3kV供电减少电缆和滑线的数量和截面的减少也可以减少吊车供电线路的复杂程度,降低施工和维护的难度,提高系统可靠性。

10.2.5 电弧炉及钢包精炼炉在生产时,无功冲击频繁,造成母线电压波动较大以及谐波也较大,因此建议电炉负荷不与其他负荷共用一段母线或一台变压器供电,以减小对其他车间负荷的影响。

10.2.6 断路器在操作电弧炉及钢包精炼炉时,经常是在电极提起后切断空载炉用变压器,产生截流过电压的概率较高,因此需装设过电压保护装置,为更好地保护变压器,过电压保护装置应尽量靠近变压器。二次侧装设过电压保护器的目的是抑制二次传递过电压。

10.2.7 装设隔离开关和接地开关的目的是在检修变压器及操作工上炉盖时有一个明显的断开点和接地点以保证安全。采用电动操作机构,可在控制室内操作,提高操作的便利性和安全性。

10.2.9 当供电系统中包含一些三类负荷时,如一些生产生活辅助设施,断电时不会对生产和设备造成重大影响的负荷,当一台变压器停止运行时,需切换到另一台变压器时,可适当切掉部分负荷以满足一台变压器运行的容量,这样可节省部分工程投资。

10.3 无功补偿及电能质量

10.3.3 一般在10kV母线上负荷相对稳定,可设置固定式的补偿装置,在变压器低压侧母线上负荷相对波动较大,一般可采用自动补偿的方式。

10.3.4 对于由专用变压器或供电母线供电的电弧炉及钢包精炼炉,如经计算,高压侧的电压波动不超过国标限值,可不装设动态无功补偿装置,仅装设滤波兼无功补偿装置。无功补偿装置靠近炼钢车间安装,可减小流过供电电缆的无功电流及谐波电流,降低电缆损耗,如现场条件不具备,也可安装在上级变电所。

10.4 变(配)电所及电气室

10.4.4 炼钢车间的环境粉尘较多、高温辐射区域较多、天车吊运多为液体钢水,在这种环境里,车间里的电气室、操作室在设置时,应与工艺专业充分结合,尽量避开这些区域。转炉主控楼应尽量设置在炼钢车间厂房的外侧,且尽量将各系统的电气设备集中放置,减少车间内、平台上电气室的数量。对于铁水预处理、精炼等设施的电气室应尽量选择设置在厂房柱间、平台下、非天车吊运通道的位置。

10.4.6 电弧炉及钢包精炼炉变压器二次侧大电流母线电流较大,易使母线穿过的墙及附近的金属构架发热,因此墙里的钢筋及金属构架应采用非铁磁材料。

10.5 供配电及传动设备

10.5.2 高海拔地区环境对电气设备的影响主要体现在:(1)空气密度减小引起热传递效率降低,对于空气冷却的部件散热降低;(2)空气减少降低绝缘介质强度,使装置容易放电,致使通常的绝缘距离变得不足。在电气设备选择时可以直接根据设备的降容系数选用产品,或根据降容计算后的系数选用合适的元器件;对于电气设备的绝缘可根据具体的海拔高度进行加强。

对于运行在高温度、高湿度环境的电气设备应采取降温、除湿的措施,如电气室内加装排风扇、空调等降温;在潮湿的环境应选择有除湿功能的空调,同时对电气室做好密闭、封堵、防渗漏工作,特别是地下电缆室、电缆沟等处,防止外部潮气进入。

电气设备在选择和安装时应根据所安装地点的地震烈度等级进行相应的抗震处理,应满足现行国家标准《电力设施抗震设计规范》GB 50260 的相关规定。同时电气设备应尽量安装在远离机械振动的地方,如炼钢车间电气室尽量不要与厂房柱使用相同的基础,以避免炼钢车间吊车运行产生的振动对电气设备产生影响。

对于安装在腐蚀性环境中的电气设备,需根据腐蚀性环境类别的具体划分选择相适应的电气设备。电气设备应尽可能地安装在非腐蚀性的环境中,在必须要安装,且设备较集中的地方,应尽量采取对策消除或减少腐蚀性介质的释放和积聚,如变电所、电气室等采用密闭的防火门、室内设置空调,保证室温以及室内正压防止腐蚀性介质的进入;所有进出电气室的空洞、电缆沟、埋管处需按个封堵,且电气室应高于外部腐蚀性环境地坪 0.6m 以上等措施。

10.5.3 电弧炉和钢包精炼炉在生产过程中测温取样等操作时,均需操作断路器断开电源,每炉钢均需操作多次,因此需选用可频繁操作的专用断路器。由于频繁操作断路器时会产生较大的机械力,使断路器与柜内母线连接触头处易损坏发生事故,因此建议采用固定式结构的开关柜。

10.5.4 电弧炉和钢包精炼炉变压器为专用特种变压器,抗冲击能力强,有一定的过载能力,而上级供电变压器一般为普通电力变压器,因此上级变压器的容量选择应与上级供电变压器供货商根据负荷性质协商确定。

10.5.5 随着交流变频技术的发展,交流传动装置已经在炼钢系统中普遍地使用,特别是转炉的倾动和氧枪升降的传动,现在基本上都采用交流变频装置。

交流传动的主要优点:交流电动机特别是笼型异步电动机的价格远低于直流电动机;交流电动机无电刷和换向器,不易出现故障,维修非常简单;交流电动机重量轻,体积小,密封性好,绝缘性、耐热性能好,免维护,所以能在恶劣环境中安全运转,对使用场合的限制少;交流电动机的单机容量可远大于直流电动机;采用交流变频调速功率因数可达到 0.98 以上,节能效果显著、降低运营成本;交流电机转子惯量远小于直流电机,在炼钢系统要求频繁起制动的设备上应用能够实现更高的动态性能。

11 仪 表

11.1 仪表选型设计

11.1.1 仪表的准确度由绝对误差和相对误差表示。相对误差用绝对误差与满刻度的百分比来表示。

11.1.3 电导率高于 $2.5\mu S/cm$ 的常温非导磁液体流量测量,按管道口径选电磁或超声波流量计的目的是提高性价比。

11.1.5 气体监测仪表用于炼钢车间人员的安全防护,不用于防爆监测。

11.1.8 各类秤的准确度指系统准确度。包括称重传感器、称重转换器、称重仪表等环节的综合误差。

11.1.9 Class-V 是衡量硬密封阀门泄漏等级的一个指标,即差压处在额定压力下的阀门,在关闭状态下每分钟泄漏水滴的毫升数量。

11.2 检测控制项目

11.2.1 顶吹、底吹的喷吹气体视工艺要求可以由单一气体检测控制系统,也可以是多种气体检测控制系统。

第4款第2项预开度控制方式:为提高控制系统的稳定性,可在氧气压力控制系统内设置阀门的计算规定开度控制;在氧气流量控制系统内设置固定开度控制。

第4款第3项氧枪安全联锁信号系统:卷扬张力异常,氧枪支管压力异常,氧枪冷却水给水压力过低,给回水温差、流量差过高等信号组成氧枪安全联锁信号系统,一旦这些信号超过工艺设备的允许范围,应立即报警,并发出信号与电气联锁,提枪,检修,以保护氧枪设备,保证转炉正常生产。

第 4 款第 4 项转炉底吹喷吹气体的模式控制：在系统中预置模式控制表，表中包含每个炉次的各个阶段供给的气体种类和强度，系统按预置表内容运行，实现快速切换供气管路，供给不同的气体，并设定各种喷吹气体流量设定值，完成流量控制。

11.2.2 第 7 款设车间级，还是设工序级能源介质总检测控制，应视厂级能源中心的有无与规模而定。

12 电 信

12.0.1 本条规定了炼钢车间电信系统设计应满足的要求。

1 行政管理电话主要提供有关部门对内对外公务联系的通信终端,一般设置在主控室、车间办公室等处,由公司电话站统一管理,形成内部通信网络系统,并与当地城市电话局设出入中继线路。炼钢车间内行政管理电话的配线宜和调度电话统一配线。

2 扩音通信系统用于在一定噪声环境下,生产调度指挥与各生产岗位之间的通信联系。一般设置在主控室、调度室、生产操作位(例如钢包车操作位、渣罐车操作位)、液压站等场所。在主控室、办公室等环境条件好的场所可选用桌上型端机;在生产现场安装的端机,根据其使用环境(例如:多粉尘、有爆炸危险、潮湿)选择适用设备。

3 炼钢车间一般在铁水脱硫、出渣、出钢、钢包加盖、氧枪、副枪、LF 炉、RH 炉等处设置工业电视摄像机,监视设备运行或生产工(部)位工况。摄像机要根据现场环境(例如:多粉尘、高温)选配防护罩。

4 在炼钢车间主控室、调度室、计算机室、电气室、电缆夹层、电缆隧道等场所应设置火灾自动报警系统,火灾报警控制器设置在有人值班的主控室、调度室或操作室内。

5 调度电话系统的设置要根据车间的管理模式和生产组织机构的职能需要等因素确定。炼钢车间可单独设置一套调度电话系统(与连铸车间共用),也可接入企业调度电话系统内。

6 一些企业已不再使用有线广播系统。如有线广播业务有需求时,也可在已设置的扩音对讲通信系统中增加功率放大器模块兼顾广播的功能。

7 无线电话系统是流动巡回检修人员之间,起重机司机与地面指挥人员,固定操作岗位人员与流动巡回检修人员之间的通信手段。固定岗位人员可配置无线电话固定台,起重机可配置无线电话车载台,流动人员可配置无线电话手持机。无线电话系统使用的频率和功率等需报当地无线电管理部门批准。

12.0.2 本条规定了炼钢车间电信系统供电应满足的要求。

2 其他电信系统包括:扩音对讲通信、工业电视等。

13 自动化控制与信息化

13.1 一般规定

13.1.1 工厂企业的自动化控制系统是辅助生产环节,其功能应满足生产工艺的要求,符合高效生产、安全生产的需要,控制应该围绕工艺进行;不同工厂可能会有不同的技术特点或管理要求,自动化系统应该满足特定化需求,促进企业的生产技术和生产管理中质量和效率的提高;自动化系统的设计也应该考虑投入与产出效益的关系;全厂自动化系统应该统一考虑,协调不同部分之间的联系与分工。

13.1.2 设计的自动化系统应首先满足安全可靠的需要。由于自动化系统设备更新换代很快,多年来,各电气制造厂商不断的研制开发,加之大规模集成电路、微处理器等计算机技术及通信技术的发展,品种不断翻新,平均几年就更新换代一次。设计方案时,不必追求设备一定是最先进的,应该综合考虑先进性、经济性等因素,选用目前最可靠、应用最广泛的设备硬件才是合理的设计方向。在设计方案时,还应考虑到系统的开放性、后期增加工艺设备,或因与其他系统连接而需要的系统扩展。

13.1.3 自动化系统中使用的设备必须符合国家法律法规和现行强制性标准的要求,并经法定机构检验或认证合格。

13.2 基础自动化

13.2.2 现场控制设备种类很多,智能化设备在近年来呈现越来越被重视的趋势,采用通信方式与现场控制设备相连接,可以提高数据的采集能力、可以促进数据更为精准、可以减少电缆敷设、可以更容易检查故障提高系统的自动诊断的能力。同时,受到现场产品多样化的限制,通过硬线连接进行信号交接的方式仍是最基础的信号连接方式,还将会大范围地使用。

13.2.3 基础自动化系统是由 PLC 或 DCS 等系统配置的运算及控制器为核心,并配置本地及远程 IO 站,同时应具备可供操作员监视和操作的人机接口。通信网络遍布于自动化系统当中,起到了各个设备之间的神经中枢作用。在工业领域,通信网络设备宜采用工业型,能够增强其抗干扰、抵御恶劣环境的能力。

13.2.4 基础自动化系统应有效地控制相关设备的运行,并对生产中工艺参数进行设定、检测和调节。过程自动化系统是基础自动化系统的补充和升级,基础自动化系统要能独立于上一级进行工作。

13.2.7 在设计和施工安装中,应正确地使用屏蔽和接地措施,并将系统内各设备有效地进行等电位连接,能够抑制来自工业现场的大部分干扰,也有利于提高控制系统运行的可靠性。种类有:机壳地、设备地、屏蔽地及等电位联结等。应根据实际雷击风险的不同等级综合评估防雷的措施,确保控制系统的安全。不同生产厂家的控制系统,要求也不尽相同,设计时应参照现行国家标准《建筑物防雷设计规范》GB 50057、《建筑物电子信息系统防雷技术规范》GB 50343、《交流电气装置的接地设计规范》GB/T 50065 及《自动化仪表工程施工及质量验收规范》GB 50093 等相关标准及设备生产厂家相关的特定要求而进行。

13.2.10 紧急停车应符合如下规定:

1 工艺生产中相关联的工艺设备,其安全联锁是有可能相关联的,各设备紧急停车的相互关系也有相关安全要求。某个设备的紧急停车的触发点不仅仅应停止本设备的运转,同时与本设备工艺相关联的其他设备,也有可能具有紧急停车的要求。

2 紧急停车系统由急停按钮或其他急停触发设备、安全继电器、其他电气设备所构成,是否安全可靠将成为紧急停车能否时刻有效的重要因素,设备的紧急停车系统应由具有安全继电器的硬件电路组成。

3 紧急停车状态为非正常的紧急工作状态,一旦紧急停车启动,必然有危险的或不确定的因素存在,此时,应该人工确认危险源是否已经消除,确认消除之后才能够允许将系统恢复到正常工作状态;紧急停车状态解除后,禁止相关设备自动重新启动,否则会产生一些不确定的危险状态。

4 重要生产设备在操作室操作台(箱)、机旁操作台(箱)上应设置紧急停车按钮,能够提供操作员或维护人员一个明确而可靠的方法以中断生产事故的发生或继续。同时,对于某些特定的工艺环节,紧急启动按钮也应按工艺安全需求设置。

13.2.12 程序软件应具备基本的功能,能够采集现场设备数据、分析现场设备状态、不同种类数据的处理、报警提示及记录、重要数据的趋势记录和查找等。

13.2.14 程序软件应满足《可编程序控制器》GB/T 15969 中关于编程语言的要求。

13.2.15 人机接口(HMI)应满足《安全色》GB 2893 中对符号、安全色和安全标志的要求。

13.3 过程控制

13.3.1 为在炼钢生产中保证钢水质量、节能降耗、提高操作管理水平、满足企业信息化的要求,炼钢车间新建或改建铁水预处理、转炉、电炉、炉外精炼等主要工艺设施均应设置过程控制计算机系统。

13.3.3 炼钢车间设置的过程控制计算机系统应采用C/S结构、B/S结构或C/S和B/S相结合的结构形式要视现场实际并与用户协商确定。

13.3.4 过程控制计算机系统包含基本功能和数学模型。

基本功能应包含:生产计划管理、生产实绩管理、作业标准管理、生产设备管理、报表管理、通信管理等内容。

数学模型的采用可提高产量、降耗节能,达到优化生产的目的。模型项目如表 13.3.4 欲决定采用的模型的类型,则视工艺装备的水平而定。

14 给 水 排 水

14.1 一 般 规 定

14.1.1 炼钢厂配套水处理系统是钢铁生产工序中的水、电消耗大户,规范并明确炼钢厂给水排水工程设计原则对满足生产需要、节约用水、合理用水、减少排污、保护水资源具有重要意义。

14.1.3 水处理设施的总体布置与主体工艺的发展规划密切相关,如分期建设,可以把水处理构筑物一次建成,设备分期安装,这样可以更加经济有效。

14.1.6 本条仅列出与本规范联系紧密的四个相关规范,除此之外尚应符合国家现行有关标准的规定。

14.2 炼钢工艺用水水质及用水条件

14.2.1 在日常管理时,可使用电导率仪测定来反映循环水的含盐量。

14.3 供 水 系 统

14.3.3 炼钢厂房高度较高,设备布置在不同高度,供水系统设计时应注意高差的利用。采用全闭式系统可充分利用剩余压力,节约能源。

14.3.5 过滤器反洗排水中仅悬浮物含量较高,可将水中悬浮物去除后回收利用,即可降低新水消耗量,又可减少全厂污水处理站处理水量或污水排放量。

14.4 水处理设施

14.4.1～14.4.3 闭式系统、间冷开式循环水系统、直冷系统应符合下列规定。

（1）全闭式系统中补水装置包括：补水膨胀罐、补水泵。其中补水膨胀罐具有氮气自动调压、水位检测、自动补水与泄水以及防止空气进入水系统的功能。补水膨胀罐的气相应采用氮气。

（2）全闭式系统、半闭式系统、间冷开式系统、直冷系统等名词解释见现行国家标准《工业循环水处理设计规范》GB 50050 中术语说明。

（3）全闭式系统、半闭式系统、间冷开式系统、直冷系统中主要设施为炼钢工程通用水处理设施，根据炼钢工艺用水要求可增加或减少水处理设施环节，也可采用其他高效、环保的水处理替代工艺。

14.4.4 转炉湿法除尘污水处理设施宜布置在炼钢附近，高架流槽过长维护工作量较大。此外烟气在净化过程中会有部分有毒气体溶解于水中，污水进入流槽后会释放出来，对车间环境造成污染，危害人身安全，所以处于厂房内及生产操作区域的流槽应设有盖板和检查口。户外流槽宜敞口便于水温下降，水中溶解物质析出。

14.4.5 转炉湿法除尘污水在进入沉淀池前，应先经粗颗粒分离器（或水力旋流器）预处理，去除污水中粗大颗粒，使沉淀池排泥顺畅，减轻排泥泵和滤布磨损，保证系统正常运转。

14.4.6 转炉一次湿法除尘直冷水中含有大量溶解物质在冷却过程中随温度降低而析出，采用无填料空心塔或网格填料冷却塔可减少淤堵。

14.4.7 泥浆管道可采用同系统循环水作为其冲洗水源。

14.5 安全供水

14.5.1 对于供水设备，其供电负荷等级不应低于主体工艺设备的供电负荷的等级，同时为防止正在运行的水泵损坏，造成供水不足，进而发生事故或影响生产，供水设备应设置备用水泵以应对此类事情的发生。

另外当水泵发生事故不能供水时,为避免高温设备的损坏,应设置短时间供水的安全供水设施。如果厂区已有高位安全水池,能满足炼钢厂安全供水水量和水压时,可直接采用高位安全水池供水。

14.5.2 炼钢厂需事故供水的工艺设备多,不同工艺设备安全供水水量、水压、供水时间不一致,应按最不利情况确定安全供水设施的能力,确保安全供水系统调试时所有工艺设备均能达到所需的安全供水性能参数。

14.6 水质稳定

14.6.1 为了防止管道、设备的结垢、腐蚀、滋生藻类等问题的发生,应配备这些药剂的投加装置。

14.6.2 对不同的补水水质及循环水水质,要根据实际的循环水水体进行专门的水质稳定试验,才能确定合适的加药品种和投加剂量。

14.7 补 充 水

14.7.1 如果厂区的给水水质较差(如悬浮物较高、硬度较高或某项水质指标较高),应设置相应的处理设施。

14.7.3 全闭式系统补水设施可采用大小泵搭配的方式进行工作,当系统充水时,可所有补水泵全开,保证系统快速充水。正常工作后,系统补水采用小泵补水。

14.7.4 渣处理对补充水要求较低,可采用浓含盐水,同时应设有备用水源根据生产情况进行补充。

14.8 水质分析及监测

14.8.2 炼钢水系统日常维护需要水质检测,对水系统的高效、稳定运行尤为关键。

17 燃 气

17.2 转炉煤气净化回收系统

17.2.1 转炉煤气净化回收系统机械设备、电气设备及附近区域的爆炸性气体环境危险区域的具体划分应遵循现行国家标准《爆炸和火灾危险环境电力装置设计规范》GB 50058 中的第2.2.1条～第2.2.5条及第2.3.3条的相关要求；如通风良好的封闭车间内转炉煤气净化机械和电气设备的爆炸危险区域可划分为2区。

17.2.2 转炉煤气净化回收系统分为湿法、半干法和干法这三种工艺。湿法净化回收系统因具有工艺成熟、运行稳定、安全可靠的优点而被国内外钢厂广泛应用；干法净化回收系统具有节电省水、除尘效率高的优点，符合现在国家提出的节能减排政策要求；半干法净化回收系统介于湿法和干法两种工艺之间，具有比湿法省水，比干法操作简单安全的特点。考虑现在干法工艺在设备可靠性、安全性方面也不断被完善，是未来转炉煤气净化回收工艺的主导发展方向，因此新建项目宜采用干法工艺。

17.2.3 转炉煤气湿法净化系统的供水主管若并接了其他无关用户造成分流，可能会导致净化系统的喷嘴供水不足，这样将直接影响转炉煤气净化系统的灭火降温和除尘净化效果，甚至可能局部烧坏转炉煤气净化设备。因此其供、排水主管必须保持畅通，其供水总管上宜设过滤器防止浊环水中的悬浮物等杂质堵塞喷水嘴。

由于转炉煤气净化系统为负压系统，为防止空气吸入系统引起爆炸，应采用负压水封排水，应避免尘泥积集堵结造成水封高度不够，使空气吸入。

17.2.4 转炉煤气干法或半干法净化系统的干排灰为连续在线排灰装置，必须保持严密并充氮保护，以防转炉煤气泄漏。

17.2.7 转炉煤气中氧含量若控制不严,可能形成混合爆炸性气体,导致系统存在爆炸危险,危及生命和财产安全,必须加以严格控制,确保安全。

17.2.8 系统布置应符合以下规定:

2 因转炉冶炼的特点是间断吹氧,转炉煤气净化系统内煤气和空气交替通过,为了避免转炉煤气积聚在管道和设备死角处,存在与空气混合发生爆炸安全隐患。由于转炉煤气净化系统为负压系统,因此设计时不仅需防爆还需考虑泄爆,采用自闭式泄爆阀,当系统发生微爆时压力超过设定值时泄爆阀及时开启泄爆,系统泄爆后压力恢复正常时泄爆阀还应及时自动关闭,防止空气吸入引起二次爆炸。

6 燃烧放散烟囱不宜与转炉煤气风机房的操作室布置在同一侧。避免点火放散装置故障时,未点燃放散的转炉煤气沉积造成人员中毒事故的安全隐患。

17.3 燃气介质阀站和管网

17.3.1、17.3.2 这两条规定中的氧气顶吹阀站主要设置的是氧气流量、压力调节阀组,易燃爆,是事故多发源,根据现行国家标准《深度冷冻法生产氧气及相关气体安全技术规程》GB 16912—2008 第4.3.3条规定:宜设置独立阀门室或防护墙,这样更安全。

17.3.4 煤气管道设计应符合以下规定:

3 考虑到《工业企业煤气安全规程》GB 6222—2005 第6.4.2条关于转炉煤气抽气机前、后的煤气管道计算压力取值存在混淆不明晰的地方,特此统一明确为:转炉煤气抽气机前、后的煤气管道计算压力等于抽气机的最大升压,这样就能保证正常安全生产。

17.3.5 煤气设备与管道附属装置应符合以下规定:

由于转炉煤气的毒性大,在检修、放散和排水的过程中主要是防止煤气窜漏引起人身安全事故。

18 建筑与结构

18.1 一般规定

18.1.7 炼钢生产过程中,厂房、平台和基础等结构局部位置温度较高,热辐射容易使厂房、平台和基础等结构变形,影响使用寿命并产生安全隐患。可采用机制砖或石棉板作为隔热材料,保护厂房、平台的柱、梁、楼板及基础。从国内有些研究院对转炉车间的实测资料来看,转炉车间的屋架下弦、吊车梁底部、柱子表面和局部平台梁柱等,温度都有可能达到150℃以上,有必要用悬吊金属板或隔热层加以保护。本条为强制性条文,必须严格执行。

18.2 主厂房

18.2.4 目前国内国外的冶炼主厂房设计均考虑环保的要求,采用较封闭的建筑形式,有的天窗设可开启关闭的装置,有效利用除尘回收设施,上料开炉时主要靠除尘回收装置回收烟尘,其他时间靠通风天窗通风换气。

18.2.5 厂房生产过程中局部位置温度较高,热辐射和烧灼影响结构的正常使用寿命,应予保护。可采用机制砖或石棉板作为隔热材料,保护厂房的柱、梁及楼板。从国内有些研究院对转炉车间的实测资料来看,转炉车间的屋架下弦、吊车梁底部、柱子表面和局部平台梁柱等,温度都有可能达到150℃以上,有必要用悬吊金属板或隔热层加以保护。

18.3 设备基础

18.3.2 炼钢工程的设备基础多为单体块式基础,其地基变形主要从基础平均沉降量和基础倾斜两方面来控制。现行国家标准

《钢铁企业冶金设备基础设计规范》GB 50696 中只对转炉和电炉基础的地基变形计算值有明确的控制量,其他基础的变形控制量则按不同的工艺、设备安装使用要求来具体确定。

18.3.3 防磁区域特指的是电弧炉、钢包精炼炉的大电流导电系统通过变压器室墙及其周边区域,通常为导体外侧 2m 的区域,准确的范围须由电力专业或设备供货商委托土建设计时提供。防磁不锈钢不会在交变的电磁场中,在钢筋内部形成感应电流的涡流发热现象,从而使钢筋温度升高,强度降低。

18.4 工艺平台

18.4.3 熔化金属的喷溅在结构表面的聚结和烧灼,将影响结构的正常使用寿命,所以应予保护。转炉、电炉周围应采用铸铁板或隔热层形成全封闭结构,以满足隔热、防喷溅要求。

19 总图运输

19.1 厂址选择

19.1.1 本条中国家钢铁产业发展政策及国家现行规定是指：国家发改委 2005 年 7 月公布的《钢铁产业发展政策》；原建设部 1991 年 8 月发布的《建设项目选址规划管理办法》；原建设部 2006 年 4 月发布的《关于加强区域重大建设项目选址工作，严格实施房屋建筑和市政工程施工许可制度的意见》（建市〔2006〕81 号）等。

19.1.2 由于钢厂厂外运输量大，费用高，运输条件、自然条件、能源供应、外部协作等都对建厂有很大影响，是确定厂址的重要因素之一。

19.1.3 本条规定为节省投产后运输费用，即运营费优化。

19.1.4 由于我国水运费用相对较低，采用水路运输可减少运输费用，所以有水运条件的企业，应尽量采用。

19.1.5 炼钢厂属于排放有害气体、粉尘、烟雾、噪声的企业，对周边环境、卫生有影响，所以制定本条。

19.1.6 本条规定了一些地区（段）不应作为钢厂的厂址。

19.2 厂区平面布置

19.2.1 多方案技术经济比较，取得并确定优化方案。

19.2.2 由于炼钢生产会产生污染、有毒气体，故人员集中的办公室、生活室宜布置在厂区最小频率风向的下风侧。

19.2.5、19.2.6 考虑到钢厂在钢铁联合企业中与其他生产区域的联系紧密性，进行布置要求。

19.2.10 考虑落锤间危险性，故有此规定。

19.2.12 本条规定对降低能耗及投资有利。

19.3 运 输

19.3.2 由于一罐到底运输方式的运输设备荷载较大,需要专门核算,进行设计。

20 安全与环保

20.1 安 全

20.1.1 《中华人民共和国安全生产法》要求:安全生产应当以人为本,坚持安全第一、预防为主、综合治理的方针,建立政府领导、部门监管、单位负责、群众参与、社会监督的工作机制。

《中华人民共和国职业病防治法》要求:职业病防治工作坚持预防为主、防治结合的方针。

20.1.2 《建设项目安全设施"三同时"监督管理暂行办法》(国家安全生产监督管理总局令第36号)要求:安全设施设计必须符合有关法律、法规、规章和国家标准或者行业标准、技术规范的规定,并尽可能采用先进适用的工艺、技术和可靠的设备、设施。

20.1.3 根据现行国家标准《企业职工伤亡事故分类》GB 6441和《生产过程危险和有害因素分类与代码》GB/T 13861,炼钢工程存在的主要危险因素有火灾、爆炸、机械伤害、起重伤害、触电、物体打击、车辆伤害、高处坠落、淹溺、灼烫、坍塌、中毒和窒息等,现行行业标准《炼钢安全规程》AQ 2001等有关规定对上述危险因素提出了控制措施。

20.1.4 参照卫生部、原劳动部、总工会等颁发的《职业病范围和职业病患者处理办法的规定》,炼钢工程存在的主要有害因素有生产性粉尘、毒物、噪声与振动、高温、热辐射等,现行行业标准《工业企业设计卫生标准》GB Z1、《黑色金属冶炼及压延加工业职业卫生防护技术规范》GBZ/T 231等有关规定对上述有害因素提出了控制措施。

20.1.5 《冶金企业安全卫生设计规定》(冶生〔1996〕204号)要求:建设项目从国外引进技术设备时,应同时引进或由国内配套符合我国职业安全卫生标准的技术措施设施。

20.1.6《安全生产许可证条例》(国务院令第 397 号)、《建设项目安全设施"三同时"监督管理暂行办法》(国家安全生产监督管理总局令第 36 号)、《危险化学品安全管理条例》(中华人民共和国国务院令第 591 号)等要求建设项目依法进行安全评价,《建设项目安全设施"三同时"监督管理暂行办法》(国家安全生产监督管理总局令第 36 号)同时要求:建设项目安全设施设计应当充分考虑建设项目安全预评价报告提出的安全对策措施。

20.2 消　　防

20.2.1《中华人民共和国消防法》要求:消防工作贯彻预防为主、防消结合的方针。

现行国家标准《钢铁冶金企业设计防火规范》GB 50414 要求:防止和减少钢铁冶金企业火灾危害,保护人身和财产安全。

20.2.2 现行国家标准《钢铁冶金企业设计防火规范》GB 50414 要求:钢铁冶金企业的防火设计应结合工程实际,积极采用新技术、新工艺、新材料和新设备,做到安全适用、技术先进、经济合理。

20.3 环境保护与综合利用

20.3.1 现行国家标准《钢铁工业环境保护设计规范》GB 50406 要求:钢铁工业环境保护设计必须坚持清洁生产、循环经济的原则,保护优先,以防为主,防治结合。

20.3.4 现行国家标准《钢铁工业环境保护设计规范》GB 50406 要求:建设项目产生的各种污染物(因子)的排放,必须符合国家现行有关污染物(因子)排放标准和有关法规的要求。对无地方污染物排放标准的地区,则应符合国家或该地区环保部门确认的有关污染物排放标准。建设项目建成投产后,其污染物的最终排放浓度和年排放量应符合环保部门对建设项目审批意见的要求。对引进项目,其设备、装置的污染物排放标准不得低于国家标准。

20.3.5 电炉炼钢应控制原料中的氯元素含量,烟气应采用急冷、活性炭吸附、布袋除尘净化等技术,严格控制二噁英的产生和排放。

20.3.6 《中华人民共和国环境保护法》要求:建设项目中防治污染的设施,必须与主体工程同时设计、同时施工、同时投产使用。

《建设项目环境保护管理条例》要求:改建、扩建项目和技术改造项目必须采取措施,治理与该项目有关的原有环境污染和生态破坏。

20.3.7 《中华人民共和国环境影响评价法》第二十六条要求:建设项目建设过程中,建设单位应当同时实施环境影响报告书、环境影响报告表以及环境影响评价文件审批部门审批意见中提出的环境保护对策措施。

22 工程与技术经济

22.1 工 程 经 济

22.1.1 建设项目设计概算是设计文件的重要组成部分,是确定和控制建设项目全部投资的文件,是编制固定资产投资计划、实行建设项目投资包干、签订承发包合同的依据,是签订贷款合同、项目实施全过程造价控制管理以及考核项目经济合理性的依据。设计概算由项目设计单位负责编制,并对其编制质量负责。

22.1.2 概算文件的组成:
(1)封面、签署页及目录;
(2)编制说明;
(3)总概算表;
(4)综合概算表;
(5)其他费用概算表。

22.1.3 概算编制说明:

概算编制说明要求文句通畅简练、内容具体确切,能说明问题,主要应包括以下内容:

1 项目概况:简述建设项目的建设地点、设计规模、建设性质(新建或改建)、工程类别、建设期(年限)、主要工程内容、主要工程量、主要工艺设备及数量等。

2 基本费用组成:按各主要生产车间、各辅助设施、工器具及生产家具购置费、工程建设其他费用、预备费项目划分的投资及各占概算基本费用的百分比。按建筑工程费、安装工程费、设备购置费、其他费用划分的投资及各占概算基本费用的百分比。

3 资金来源:按资金来源不同渠道分别说明,发生资产租赁的说明租赁方式及租金。

4 编制依据:

(1)批准的可行性研究报告;

(2)国家、行业和地方政府有关法律、法规或规定;

(3)建筑及安装工程概算定额、综合单价、指标依据;

(4)建筑安装工程费用编制依据;

(5)工程价格取价基础(人工、材料、机械取价时间、地区);

(6)工程建设其他费用编制依据;

(7)引进工程和费用计算依据、组成及汇率;

(8)非标准设备、标准设备价格依据及设备运杂费取定;

(9)建设期贷款利息的编制依据及有关数据的取定;

(10)有关文件、合同、协议等。

5 主要技术经济指标:项目概算总投资(有引进的给出所需外汇额度)及主要分项投资、主要技术经济指标(主要单位投资指标)等。

8 其他需要说明的问题:费用范围,如应该包括没有包括的内容和费用;建设项目外围设施与厂内设施的划分;建设进度等。

22.1.4 概算总投资由工程费用、其他费用、预备费及应列入项目概算总投资中的几项费用组成:

第一部分 工程费用;

第二部分 其他费用;

第三部分 预备费;

第四部分 应列入项目概算总投资中的几项费用:

(1)建设期利息;

(2)固定资产投资方向调节税(暂停征收);

(3)铺底流动资金。

22.1.5 总概算表的编制:

1 第一部分工程费用。按单项工程综合概算组成编制。

工业建设项目一般排列顺序:主要工艺生产装置、辅助工艺生产装置、公用工程、总图运输、生产管理服务性工程、生活福利工程、厂外工程。

2 第二部分其他费用。一般按其他费用概算顺序列项。

3 第三部分预备费。包括基本预备费和价差预备费。

4 第四部分应列入项目概算总投资中的几项费用。一般包括建设期利息、铺底流动资金、固定资产投资方向调节税(暂停征收)等。

22.1.6 综合概算表的编制：

单位工程概算的排列按各土建工程(厂房、小型建筑、设备基础等)，各工艺设备及安装工程(工艺设备及安装、起重运输设备及安装等)，各专业电气设备及安装工程(照明、供电、传动、计算机、自动化、通信设备及安装等)，其他专业工程等顺序排列编制。

（1）综合概算以单项工程所属的单位工程概算为基础，分别按各单位工程概算汇总成若干个单项工程综合概算。

（2）其他费用、预备费、专项费用概算编制：

1）一般建设项目其他费用包括建设用地费、建设管理费、勘察设计费、建设项目前期工作咨询费、可行性研究费、建设工程监理费、招标代理服务费、工程造价咨询服务费、施工图审查费、环境影响评价费、劳动安全卫生评价费、场地准备及临时设施费、工程保险费、联合试运转费、生产准备及开办费、特殊设备安全监督检验费、市政公用设施建设及绿化补偿费、引进技术和引进设备材料其他费、专利及专有技术使用费、研究试验费等；

2）引进工程其他费用中的国外技术人员现场服务费、出国人员旅费和生活费折合人民币列入，用人民币支付的其他几项费用直接列入其他费用中；

3）预备费包括基本预备费和价差预备费，基本预备费以总概算第一部分"工程费用"和第二部分"其他费用"之和为基数的百分比计算。

（3）应列入项目概算总投资中的几项费用：

1）建设期利息：根据不同资金来源及利率分别计算；

2)铺底流动资金按国家或行业有关规定计算;

3)固定资产投资方向调节税(暂停征收)。

22.1.7 单位工程概算的编制:

(1)单位工程概算是编制单项工程综合概算的依据,单位工程概算项目根据单项工程中所属的每个单体按专业分别编制。

(2)单位工程概算一般分建筑工程、设备及安装工程两大类。

(3)建筑工程单位工程概算:

1)建筑工程概算费用内容及组成见建设部建标〔2003〕206号《建筑安装工程费用项目组成》;

2)建筑工程概算按构成单位工程的主要分部分项工程编制,根据初步设计工程量按工程所在省、市、自治区颁发的概算定额(指标)或行业概算定额(指标),以及工程费用定额计算。

(4)设备及安装工程单位工程概算。

1)设备及安装工程概算费用由设备购置费和安装工程费组成。

2)设备购置费:

定型或成套设备费=设备出厂价格+运输费+采购保管费

引进设备费用分外币和人民币两种支付方式,外币部分按美元或其他国际主要流通货币计算。

非标准设备原价有多种不同的计算方法,如综合单价法、成本计算估价法、系列设备插入估价法、分部组合估价法、定额估价法等。一般采用设备综合单价法计算,计算公式如下:

设备费=∑综合单价(元/吨)×设备单重(吨)

工具、器具及生产家具购置费一般以设备购置费为计算基数,按照部门或行业规定的工具、器具及生产家具费率计算。

3)安装工程费。安装工程费用内容组成,以及工程费用计算方法见建设部建标〔2003〕206号《建筑安装工程费用项目组成》;其中,辅助材料费按概算定额(指标)计算,主要材料费以消耗量按工程所在地当年预算价格(或市场价)计算。

4) 引进材料费用计算方法与引进设备费用计算方法相同。

5) 设备及安装工程概算按构成单位工程的主要分部分项工程编制,根据初步设计工程量按工程所在省、市、自治区颁发的概算定额(指标)或行业概算定额(指标),以及工程费用定额计算。

6) 概算编制深度可参照《建筑安装工程工程量清单计价规范》深度执行。